中華國學
經典百部

精華本

晏子春秋

〔西汉〕刘向 整理
王光波 评译

中国书店

图书在版编目（CIP）数据

晏子春秋 /（西汉）刘向整理；王光波评译 . — 北京：中国书店，2023.10
（中华国学经典百部：精华本）
ISBN 978-7-5149-2963-8

Ⅰ . ①晏… Ⅱ . ①刘… ②王… Ⅲ . ①先秦哲学②《晏子春秋》—译文 Ⅳ . ① B220.4

中国版本图书馆 CIP 数据核字（2022）第 075414 号

晏子春秋
〔西汉〕刘向 整理 王光波 评译
责任编辑：赵小波

出版发行：中国书店
地　　址：北京市西城区琉璃厂东街 115 号
邮　　编：100050
电　　话：（010）63171753（总编室）
（010）63017857（发行部）
印　　刷：三河市嘉科万达彩色印刷有限公司
开　　本：787mm × 1092mm　1/32
版　　次：2023 年 10 月第 1 版第 1 次印刷
字　　数：144 千
印　　张：6（全 300）
书　　号：ISBN 978-7-5149-2963-8
定　　价：1490.00 元（全 50 册）

前言

晏子，名婴，字平仲，夷维（今山东高密）人，是我国春秋后期齐国著名的贤相。其一生先后相齐灵公、齐庄公、齐景公三位国君，总时长达半个多世纪，其中相齐景公时间最长。

齐景公登位初期，国内公室衰落，大夫专权，尤以田氏势力最为强盛。但齐景公虚心纳谏，励精图治，短短几年齐国便由乱入治。

然而国情稍有好转，齐景公便不再顾国事、理民政，而好色、好犬马、好宫室，贪图享乐，厚赋重刑，致使民不聊生，怨声载道，乱象丛生。但即使是在这种情形之下，齐景公依旧维持了几十年的统治，齐国在各诸侯间还能处于相对强势的地位，这完全有赖于杰出的政治家——晏子的辅佐。

晏子的事迹与传说，先秦的各家典籍多有大量生动的记载，而《晏子春秋》是记述其事迹与传说最为详备的一部典籍。司马迁十分推崇晏子，说："假令晏子而在，余虽为之执鞭，所忻慕焉。"因崇敬其为人，司马迁对《晏子春秋》这部书爱不释手，为其案头必备。

这里需要说明的是，因抄写人各异、流传途径不同等原因，《晏子春秋》到了西汉初期，已有不下三十个版本，如司马迁所言"至其书，世多有之"。司马迁看的《晏子春秋》并不是如今读者所看到的这个版本，只是当时诸多版本中的一种。

西汉成帝时，刘向奉旨校理皇家内府所藏先秦典籍。校理完毕，刘向作《叙录》，向皇帝汇报校书情况，其中就谈到《晏子》。

刘向说，自己参考了朝廷内外所藏的三十个版本的《晏子》，整理出内篇六篇，外篇两篇。内六篇“合于六经之义者”为谏上、谏下、问上、问下、杂上、杂下；外两篇“重而异者”“不合经术者”，共八篇二百一十五章。遂以此为该书体例之定式。

《晏子春秋》的作者，有的版本认为是晏子本人，这是不妥的。该书与《论语》类似，是晏子同代的齐国史官、民间仰慕者，以及后世“小说家者流”先后撰编的成果。且“晏子”之“子”是尊称，晏婴不会这样称呼自己，“景公”之“景”乃死后的谥号。晏子死于齐景公之前，根本不知有此谥号，而景公本人活着的时候也不可能自称死后的谥号，此书显然为后世所作。

《晏子春秋》记载了晏子的言论事迹，又杂合大量的民间传说，塑造了晏子这一正直贤明、堪称楷模的杰出政治家形象。本书原文采用张纯一《晏子春秋校注》文字，断句大体沿用，细微处略有调整。注释部分参考前人今贤的大量研究成果，以准确为要。译文部分，在通畅之外力求美雅。同时，因篇幅所限，本书仅选取最精彩、最为大众耳熟能详的内容。由于编者才疏学浅，难免有谬误不当之处，还请专家、读者批评指正。

目录

内篇谏上第一

内篇谏下第二

内篇问上第三

内篇问下第四

内篇杂上第五

内篇杂下第六

外篇重而异者第七

外篇不合经术者第八

内篇谏上第一

庄公矜勇力不顾行义晏子谏

【原文】

庄公奋[①]乎勇力，不顾于行义。勇力之士，无忌于国，贵戚不荐善，逼迩[②]不引过，故晏子见公。

公曰："古者亦有徒以勇力立于世者乎？"

晏子对曰："婴闻之，轻死以行礼谓之勇，诛暴不避强谓之力。故勇力之立也，以行其礼义也。汤、武用兵而不为逆，并国而不为贪，仁义之理也；诛暴不避强，替罪不避众，勇力之行也。古之为勇力者，行礼义也；今上无仁义之理，下无替罪诛暴之行，而徒以勇力立于世，则诸侯行之以国危，匹夫行之以家残。昔夏之衰也，有推侈、大戏[③]；殷之衰也，有费仲、恶来。足走千里，手裂兕[④]虎，任之以力，凌轹[⑤]天下，威戮无罪，崇尚勇力，不顾义理，是以桀、纣以灭，殷、夏以衰。今公自奋乎勇力，不顾乎行义，勇力之士，无忌于国，身立威强，行本淫暴，贵戚不荐善，逼迩不引过，反圣王之德，而循灭君之行，用此存者，婴未闻有也。"

【注释】

①奋：倡导。

②逼迩（ěr）：二字同义，近。这里指国君的近臣。

③推侈、大戏：人名，以勇力著称。

④兕（sì）：古代形容犀牛类的猛兽。

⑤凌轹（lì）：二字同义，欺凌。

【译文】

齐庄公倡导勇力，无心实行仁义。有勇有力的人士，不顾忌国家法令，贵族公卿不进言善道，国君的近臣也不指出过失，所以晏子去见庄公。

庄公说："从前也有仅凭勇力就能在世上立身的人吗？"

晏子回答说："我听说，轻视死亡以实行礼仪称之为勇，诛杀凶暴不畏强悍称之为力。所以勇与力的树立，是为了实行礼仪、仁义。商汤王、周武王发动战争不是叛逆，兼并其他国家也不是贪婪，而是因为符合仁义的道理；他们诛杀凶暴不畏强悍，灭除罪恶不畏人多，这就是有勇有力的行为。古时候那些有勇有力的人，实行的是礼仪、仁义；如今君上没有讲仁义的道理，臣下没有灭除罪恶、诛杀凶暴的行为，而仅靠勇力立足于世间，诸侯这么做国家就有危险，百姓这么做家庭就会残破。从前夏朝衰亡时，有推侈、大戏这样的人；商朝衰亡时，有费仲、恶来这样的人。这些人两脚能走千里，徒手能撕裂犀牛一类的猛兽和老虎，他们凭借着一身的勇力被任用，欺凌天下诸侯，杀戮无辜百姓，崇尚勇力，不顾忌道义天理，所以夏桀、商纣因此灭亡，商朝、夏朝因此衰亡。如今君上倡导勇力，无心实行仁义，有勇有力的人士，不顾忌国家法令，以威猛强悍立身于世，以淫邪暴虐为行为之本，贵族公卿不进言善道，国君的近臣也不指出过失，背离圣贤之王的品德，而遵循灭国君主的行为，用这些来求得长存，我晏婴从来没有听说过。"

景公饮酒酣愿诸大夫无为礼晏子谏

【原文】

景公饮酒酣，曰：“今日愿与诸大夫为乐饮，请无为礼。”

晏子蹴然[①]改容曰：“君之言过矣！群臣固欲君之无礼也。力多足以胜其长[②]，勇多足以弑其君，而礼不使也。禽兽以力为政，强者犯弱，故日易主。今君去礼，则是禽兽也。群臣以力为政，强者犯弱，而日易主，君将安立矣！凡人之所以贵于禽兽者，以有礼也。故《诗》曰：‘人而无礼，胡不遄死？’礼，不可无也。”公湎[③]而不听。

少间，公出，晏子不起；公入，不起；交举则先饮。公怒，色变，抑手疾视曰：“向者夫子之教寡人无礼之不可也，寡人出入不起，交举则先饮，礼也？”晏子避席，再拜稽首[④]而请曰：“婴敢与君言而忘之乎？臣以致无礼之实也。君若欲无礼，此是已！”

公曰：“若是，孤之罪也。夫子就席，寡人闻命矣。”觞[⑤]三行，遂罢酒。

盖是后也，饬法修礼以治国政，而百姓肃也。

【注释】

①蹴（cù）然：脸色陡变的模样。

②长（zhǎng）：辈分大或地位高的人。

③湎（miǎn）：执迷。

④稽（qǐ）首：叩头到地上，并停留多时。

⑤觞（shāng）：斟酒劝酒。

【译文】

齐景公饮酒兴起，说：“今天我想与诸位大夫喝个高兴，请你们不要为礼法所拘束。”

晏子脸色陡变说：“君上的话不对！群臣本来就希望君上不拘束于礼法。力量大的人完全能够打败辈分大或地位高的人，勇气多的人完全能够杀死国君，但正是礼法的制约才使他们不能那么做。禽兽凭借力气主宰事务，强大的人侵犯弱小的，因此每天都在更换首领。现在君上丢弃礼法，那就和禽兽的情况一样了。群臣凭借力气主宰事务，强大的侵犯弱小的，因而每日都在更换首领，那么君上将立身于何地呢！大凡人之所以高贵于禽兽，就是因为讲求礼法。所以《诗经》中说：‘做人要是没有礼义，为什么不快点死去？’礼不可以缺少啊。”可是景公沉湎执迷，听不进去。

过一会儿，景公出去，晏子不起身致意；景公进来，晏子也没有起身致意；一起举杯敬酒时，晏子又抢先饮酒。景公非常生气，脸色大变，手按几案目光严厉地说：“刚才先生教训寡人不讲礼法是不行的，可是寡人出去进来先生都不起身致意，大家一同举杯敬酒时先生又抢先饮酒，这是符合礼法的吗？”晏子离开座席，拜了两拜，叩头请罪说：“我哪敢和君上说过后又忘了那些话呢？臣只是向您展示一下不讲礼法的后果。君上如果想要不讲礼法，就是这个样子！”

景公说：“如果是这样，那就是寡人的罪过了。先生请还席，寡人听从先生的劝告了。”斟酒劝饮三次后，就停止了饮酒。

从此以后，景公以整顿法度、修习礼仪来治理国家政事，百姓也恭敬守礼了。

景公饮酒酲三日而后发晏子谏

【原文】

景公饮酒，酲，三日而后发。晏子见曰：“君病酒乎？”公曰：“然。”

晏子曰：“古之饮酒也，足以通气合好而已矣。故男不群乐以妨事，女不群乐以妨功[①]。男女群乐者，周觞五献[②]，过之者诛。君身服[③]之，故外无怨治，内无乱行。今一日饮酒，而三日寝之，国治怨乎外，左右乱乎内。以刑罚自防者，劝乎为非；以赏誉自劝者，惰乎为善。上离德行，民轻赏罚，失所以为国矣。愿君节之也！”

【注释】

①功：这里指妇女做的缝纫、刺绣、纺织等事务，即女红（gōng）。

②周觞（shāng）五献：大家举杯敬酒五遍。

③服：实行。

【译文】

齐景公饮酒，醉得神志不清，三天后才醒来。晏子进见说：“君上喝醉酒了吧？”景公说：“是这样。”

晏子说：“古人饮酒，只要能够疏通气血、调和精神就可以了。所以男人不聚众饮酒而妨碍正事，女人不聚众饮酒而妨碍女红，男女聚众饮酒，举杯敬酒五遍，超过限度就会遭受惩罚。君上身体力行，所以宫廷外没有纠结的政事，在宫廷内没有混乱无礼的行为。现在君上饮酒一日，醉卧三天，宫廷外国家政事纠结不清，宫廷内左右近臣混乱无礼。原来以刑法惩处自律的人，就尽力做坏事了；原来以称赏赞誉自我激励的人，就懒得行善事了。君上背离有德之行，百姓轻视奖赏处罚，便丢掉了治国之本。希望君上能节制饮酒。”

景公夜听新乐而不朝晏子谏

【原文】

晏子朝，杜扃①望羊待于朝。晏子曰："君奚故不朝？"对曰："君夜发不可以朝。"晏子曰："何故？"对曰："梁丘据入歌人虞，变齐音。"

晏子退朝，命宗祝②修礼而拘虞。

公闻之而怒曰："何故而拘虞？"

晏子曰："以新乐淫君。"

公曰："诸侯之事、百官之政，寡人愿以请子；酒醴之味、金石之声，愿夫子无与焉。夫③乐，何必夫故哉？"

对曰："夫乐亡而礼从之，礼亡而政从之，政亡而国从之。国衰，臣惧君之逆政之行。有歌，纣作北里，幽、厉之声，顾夫淫以鄙而偕亡。君奚轻变夫故哉？"

公曰："不幸④有社稷之业，不择言而出之，请受命矣。"

【注释】

①杜扃（jiōng）：景公臣子。

②宗祝：官名。

③夫（fú）：那些。

④不幸：自谦之词。

【译文】

齐晏子上朝，看见杜扃目光茫然地等候在朝堂前。晏子问：

“君上为什么还不上朝？”杜扃回答说：“君上整夜未眠，所以没能上朝。”晏子又问：“为什么整夜未眠？”回答说：“梁丘据进献了一名歌人叫虞，为君上演唱了新曲子。”

晏子离开朝堂，命令宗祝修订礼乐并且拘捕了虞。

景公听说后生气地问：“为什么拘捕虞？”

晏子说：“因为他用新的音乐惑乱君上。”

景公说：“诸侯之间的事、各级官员的政务，寡人愿意向先生询问；品尝甜酒、聆听音乐，希望先生不要干预。那些音乐，为什么一定要听旧的呢？”

晏子回答说：“古乐消亡了，礼法就会随之消亡；礼法消亡，政治就会随之消亡；政治消亡，国家就会跟着消亡。如今国运衰败，臣怕君上会有背离国家政治的行为。有这样的歌曲，商纣王作的《北里》，周幽王与周厉王的乐曲，只是由于淫靡粗鄙便连同礼法政治国家乃至自身都一起衰亡了。君上为什么轻易就把旧的传统音乐改变了呢？”

景公说：“我不幸拥有这个国家，不加斟酌就乱说，请让寡人接受您的劝告吧。”

景公敕五子之傅而失言晏子谏

【原文】

景公有男子五人，所使傅之者，皆有车百乘者[①]也，晏子为一焉。公召其傅曰：“勉之！将以而所傅为子。”

及晏子，晏子辞曰：“君命其臣，据其肩[②]以尽其力，臣敢不勉乎！今有车百乘之家，此一国之权臣也，人人以君命命之曰‘将以而所傅为子’，此离树别党[③]，倾国之道也，婴不敢受命，愿君图之！”

【注释】

①有车百乘（shèng）者：这里指卿大夫。

②据其肩：这里表示对对方的重托与信任。

③离树别党：离间分裂，各自树立党羽。树，树立。别，各自。党，这里指党羽、派系。

【译文】

齐景公有五个儿子，派去给他们当老师的人，都是卿大夫，晏子也是其中之一。景公召见了儿子们的这些老师，分别对他们说：“努力吧！寡人会立你所教的公子为太子。”

轮到晏子时，晏子辞谢说：“君王命令他的臣子，按着他的肩膀表示对他的重托和信任，做臣子的岂敢不努力啊！现在卿大夫，都是国中掌有实权的人，人人都以君上的话命令自己‘寡人会立你所教的公子为太子’，这是离间分裂树立各自的党羽，是倾覆国家的做法。我不敢接受君上的命令，希望君上好好考虑这件事。”

景公欲废适子阳生而立荼晏子谏

【原文】

淳于[①]人纳女于景公，生孺子荼，景公爱之。诸臣谋欲废公子阳生而立荼，公以告晏子。

晏子曰：“不可。夫以贱匹贵，国之害也；置大立少，乱之本也。夫阳生，长而国人戴之，君其勿易！夫服位[②]有等，故贱不陵贵；立子有礼，故孽不乱宗。愿君教荼以礼而勿陷于邪，导之以义而勿湛于利。长少行其道，宗孽得其伦。夫阳生敢毋使荼餍[③]粱肉之味、玩金石之声而有患乎？废长立少，不可以教下；尊孽卑宗，不可以利所爱。长少无等，宗孽无别，是设贼树奸之本也，君其图之！古之明君，非不知繁乐也，以为乐淫[④]则哀；非不知立爱也，以为义失则忧。是故制乐以节，立子以道。若夫恃谗谀以事君者，不足以责信。今君用谗人之谋，听乱夫之言也，废长立少，臣恐后人之有因君之过以资其邪，废少而立长以成其利者，君其图之！”公不听。

景公没，田氏杀君荼，立阳生；杀阳生，立简公；杀简公，而取齐国。

【注释】

①淳于：国名，在今山东安丘东北。

②服位：地位。

③餍：饱食。

④淫：过度。

【译文】

淳于国进献了一个女子给齐景公，生了孺子荼，景公很宠爱荼。有些大臣商议让景公废掉公子阳生而立荼为太子，景公将此事告诉了晏子。

晏子说：“不能这样。将地位卑贱的人与地位尊贵的人对等起来，这是国家的大害；废弃年长的拥立年少的，是祸乱的本源。阳生，年长于荼而且国人都拥戴他，君上千万不要替换他！人的地位有等级，所以卑贱的不能超越尊贵的；设立太子有礼法制度，所以庶子不能和嫡子混乱。希望君上能够用礼法来教导荼，不要使他陷于邪恶，用道义来引导他不要使他沉迷于私利。年长的、年少的都各按规矩行事，宗子庶子都符合伦理。阳生敢不让荼饱食珍馐美味、赏玩美妙音乐而让他遭受祸患吗？废弃年长的，拥立年少的，就不能够教育臣下国人；尊崇庶子，贬低嫡子，并不能有利于您所宠爱的人。年长的和年少的没有等级，嫡子和庶子没有区别，这是造成贼寇树立奸党的源头。君上还是想想吧！古代的圣明之君，并非不知道编排浮靡的音乐来享受，而是认为过度享受音乐就会带来悲哀的事情；并非不知道立自己喜欢的人为太子，而是认为失去道义就会带来忧患。所以要以法度来节制音乐，要以礼法来确立太子。至于那些以谗言谄媚侍奉君上的人，是不能够求得信任的。现在君上是在听从谗谀之人的计谋，听信为乱之徒的话呀，废弃年长的，拥立年少的，下臣我担心将来有人借助君上的过错助长他们的邪僻之行，废弃年少的，拥立年长的，以便达到他们的私利。君上还是想想吧！”景公没有听从晏子的谏言。

景公死后，田氏一族杀掉了国君荼，拥立阳生为国君；后来又杀掉阳生，拥立了齐简公；后又杀掉了简公，最终夺取了齐国。

景公怒封人之祝不逊晏子谏

【原文】

景公游于麦丘[①]，问其封人曰：“年几何矣？”对曰：“鄙人之年八十五矣。”公曰：“寿[②]哉！子其祝我。”封人曰：“使君之年长于胡，宜国家。”公曰：“善哉！子其复之。”封人曰：“使君之嗣，寿皆若鄙人之年。”公曰：“善哉！子其复之。”封人曰：“使君无得罪于民。”公曰：“诚[③]有民得罪于君则可，安有君得罪于民者乎？”

晏子谏曰：“君过矣！彼疏者有罪，戚者治之；贱者有罪，贵者治之；君得罪于民，谁将治之？敢问：桀、纣，君诛乎？民诛乎？”

公曰：“寡人固[④]也。”于是赐封人麦丘以为邑。

【注释】

①麦丘：在今山东商河境内。

②寿：长寿。

③诚：果真。这里表示假设。

④固：鄙陋。

【译文】

齐景公出游来到了麦丘，问当地的封人说："您多大年岁了？"封人回答说："我八十五岁了。"景公说："那您真是长寿啊！请您为我祝福吧。"封人说："愿君上比最长寿的人还长寿，使国家安定。"景公说："好啊！请您再为我祝福一次。"封人说："愿君上的子孙，寿命都达到和我一样的年纪。"景公说："好啊！请您再为我祝福一次。"封人说："愿君上不要得罪百姓。"景公说："如果说有百姓得罪国君还差不多，哪里有君王得罪百姓的呢？"

晏子进谏说："君上说错了！那些关系疏远的人犯了罪，就有关系近的人惩治他；地位低的人犯了罪，就有地位高的人惩治他；如果国君得罪了百姓，将有谁能惩治他呢？臣斗胆问一句：夏桀与商纣，是被君王杀死的，还是被百姓杀死的？"

景公说："寡人真是鄙陋不通啊。"于是赐给封人麦丘之地作为食邑。

景公欲祠灵山河伯以祷雨晏子谏

【原文】

齐大旱逾时，景公召群臣问曰："天不雨久矣，民且有饥色。吾使人卜，云祟[①]在高山广水。寡人欲少赋敛以祠灵山，可乎？”群臣莫对。

晏子进曰：“不可！祠此无益也。夫灵山固以石为身，以草木为发，天久不雨，发将焦，身将热，彼独不欲雨乎？祠之何益！”

公曰：“不然，吾欲祠河伯[②]，可乎？”

晏子曰：“不可！河伯以水为国，以鱼鳖为民，天久不雨，水泉将下[③]，百川将竭，国将亡，民将灭矣，彼独不欲雨乎？祠之何益！”

景公曰：“今为之奈何？”

晏子曰：“君诚避宫殿暴露，与灵山河伯共忧，其幸而雨乎！”

于是景公出野暴露，三日，天果大雨，民尽得种时。景公曰：“善哉！晏子之言，可无用乎！其维有德。”

【注释】

①祟：鬼怪作祸。

②河伯：黄河水神。

③下：这里指地下水位降低，泉水不出。

【译文】

齐国大旱的时间超过了以往，情况非常严重，景公召见群臣问道：“天不下雨已经很久了，百姓将要挨饿了。我让人占卜，说是鬼怪作祸于高山大河之中。寡人想稍微征收些赋税来祭祀灵山，可以吗？”群臣中没有谁回答。

晏子进言说：“不可以！祭祀灵山没有什么益处。那灵山本来是以岩石为身躯，以草木为毛发，上天长时间不下雨，它的头发将会枯焦，它的身躯将会发热，它难道就偏偏不希望下雨吗？祭祀它有什么益处！”

景公说：“不祭祀灵山，那我打算祭祀河神，可以吗？”

晏子说："不可以！河神以水域作为自己的国土，以鱼鳖作为自己的臣民，上天长时间不下雨，泉水将会下降，无数条河流将会枯竭，它的国家将要灭亡，臣民将要灭绝，它难道就偏偏不希望下雨吗？祭祀它有什么益处！"

景公说："那现在怎么办呢？"

晏子说："君上如果能诚心诚意地离开宫殿在野外露宿，同灵山河神共担患难，大概侥幸能下雨吧！"

因此景公离开宫殿在野外露宿，过了三天，天果然下起了大雨，百姓全都赢得了播种的时机。景公说："好啊！晏子的话真是有用啊！因为他的话里有仁德。"

景公游寒涂不恤死胔晏子谏

【原文】

景公出游于寒涂，睹死胔，默然不问。晏子谏曰："昔吾先君桓公出游，睹饥者与之食，睹疾者与之财，使令不劳力，藉敛[1]不费民。先君将游，百姓皆说曰：'君当幸游吾乡乎！'今君游于寒涂，据四十里之氓[2]，殚财不足以奉敛，尽力不能以周役，民氓饥寒冻馁，死胔相望[3]，而君不问，失君道矣。财屈力竭，下无以亲上；骄泰奢侈，上无以亲下。上下交离，君臣无亲，此三代之所以衰也。今君行之，婴惧公族之危，以为异姓之福也。"

公曰："然！为上而忘下，厚藉敛而忘民，吾罪大矣。"于是敛死胔，发粟于民，据四十里之氓不服政其年，公三月不出游。

【注释】

①藉敛：征收赋税。

②氓（méng）：这里指百姓。

③死胔（zì）相望：形容死人很多。

【译文】

齐景公出宫游玩，来到古寒国的道路上，看见路边有死人的腐尸，他沉默着没有过问。晏子进谏说："从前我们的先君桓公出游，看见饥饿的人就给他们吃的，看见有病的人就给他们钱物，派遣徭役但不劳损民力，征收赋税但不耗费民财。因此一听说先君将要出游，百姓们都高兴地说：'君上应当赏光巡游到我们家乡来啊！'如今君上游玩，来到古寒国的道路上，方圆四十里的百姓，竭尽钱财也不够缴纳赋敛，竭尽全力也不能完全应付徭役，百姓饥寒交迫，路边的死尸一个接着一个，而君上竟然不过问，这有失为君之道啊。在下的百姓钱物穷尽、劳力耗竭，便没有理由敬爱在上的国君；在上的国君骄纵奢侈，就不会爱护在下的百姓。上下离心离德，国君与臣子也不亲近，这是夏、商、周三代之所以会衰亡的原因。如今君上如此行事，我担心这会是公族的危险，成了异姓人的福音了。"

景公说："对！身在上位而忘了下民，赋税沉重而忘了百姓的生活，我的罪过太大了。"于是收殓腐尸，给百姓发放粮食，方圆四十里的百姓，一年不用承担劳役赋税，景公自己也三个月不出游。

景公衣狐白裘不知天寒晏子谏

【原文】

景公之时，雨雪[1]三日而不霁。公被[2]狐白之裘，坐于堂侧阶。晏子入见，立有间[3]，公曰："怪哉！雨雪三日而天不寒。"

晏子对曰："天不寒乎？"公笑。

晏子曰："婴闻古之贤君，饱而知人之饥，温而知人之寒，逸而知人之劳。今君不知也。"

公曰："善！寡人闻命矣。"乃令出裘发粟，以与饥寒者。令所睹于涂[4]者无问其乡，所睹于里者无问其家，循[5]国计数，无言其名。士既事者[6]兼月，疾者兼岁。

孔子闻之曰："晏子能明其所欲，景公能行其所善也。"

【注释】

①雨（yù）雪：下雪。

②被（pī）：这里指穿着。

③有间：一会儿。

④涂：通"途"，道路。

⑤循：通"巡"，巡视。

⑥既事者：已有职务的人。

【译文】

齐景公在位时，有一次连下三天雪还不放晴。景公穿着用狐狸腋下白毛做的皮衣，坐在正堂前的台阶上。晏子进宫谒见，站了一会儿，景公说："奇怪啊！下了三天雪可是天气不冷。"

晏子回答说："天气不冷吗？"景公笑了。

晏子说："我听说古代贤德的国君，自己吃饱却知道别人的饥饿，自己穿暖却知道别人的寒冷，自己安逸却知道别人的劳苦。现在君上却不知道。"

景公说："说得好！寡人听从先生的教诲了。"于是命人拿出皮衣发放粮食，给那些挨饿受冻的人。同时命令看见在道路上的人不必问他们来自哪里，看见村子里的人不必问他们是哪家的，巡视全国统计数字，不必记他们的姓名。士人已有职务者发放两个月的粮食，有疾病者发放两年的粮食。

孔子听到后说：“晏子能阐明他的愿望，景公能实行他认识到的德政。”

景公欲诛骇鸟野人晏子谏

【原文】

景公射鸟，野人骇之。公怒，令吏诛之。晏子曰：“野人不知也。臣闻赏无功谓之乱，罪①不知谓之虐。两者，先王之禁也。以飞鸟犯先王之禁，不可。今君不明先王之制，而无仁义之心，是以从②欲而轻诛。夫鸟兽，固人之养也，野人骇之，不亦宜乎。”

公曰：“善！自今已③来，弛④鸟兽之禁，无以苛民也。”

【注释】

①罪：以之为罪，即惩罚。

②从（zòng）：同“纵”，放纵。

③已：同“以”。

④弛：放宽。

【译文】

齐景公射鸟，有个农夫惊飞了小鸟。景公非常生气，命令官吏杀掉他。晏子说：“这个农夫不明白情况。下臣听说奖赏没有功劳的人叫昏乱，惩罚不明白情况的人叫暴虐。这两条，是先王的禁令。因为飞鸟而触犯先王的禁令，这是不可以的！如今君上不知道先王的法令，又缺乏仁爱道义之心，因此放纵己欲而轻易杀人。鸟兽，本来是人喂养的，农夫惊飞它，不也是合情合理的吗？”

景公说："说得好！从今以后，放宽对鸟兽的禁令，不要因此来苛待百姓。"

景公所爱马死欲诛圉人晏子谏

【原文】

景公使圉人养所爱马，暴病死，公怒，令人操刀解养马者。是时晏子侍前，左右执刀而进，晏子止之，而问于公曰："古时尧、舜支解人，从何躯始？"公惧然①曰："从寡人始。"遂不支解。

公曰："以属②狱。"

晏子曰："此不知其罪而死，臣请为君数之，使自知其罪，然后属之狱。"公曰："可。"

晏子数之曰："尔罪有三：公使汝养马而杀之，当死罪一也；又杀公之所最善③马，当死罪二也；使公以一马之故而杀人，百姓闻之必怨吾君，诸侯闻之必轻吾国，汝一杀公马，使公怨积于百姓，兵弱于邻国，汝当死罪三也。今以属狱。"

公喟然④叹曰："夫子释之！夫子释之！勿伤吾仁也。"

【注释】

①惧然：惊恐的样子。

②属（zhǔ）：这里指交付。

③善：喜欢。

④喟（kuì）然：叹息的样子。

【译文】

齐景公派圉人饲养自己心爱的马，马突然暴病而死，景公非常生气，命人拿刀肢解养马的人。当时晏子正在景公身边陪侍，景公的侍从拿着刀进来，晏子制止了他们，并向景公问道：“古时尧、舜肢解人，是从躯体哪个部位开始的？”景公惊恐道：“是从寡人开始的。”于是就不肢解养马的人了。

景公说：“把他交付给监狱。”

晏子说：“这个人不知道自己犯了什么罪就死了，下臣替君上一一列举他的罪状，让他知道自己的罪状，然后再交付给监狱。”景公说：“行。”

晏子列举道：“你的罪名有三个：君上派你养马你却把马害死了，这是该当死罪的第一条；你害死的又是君上最喜欢的马，这是该当死罪的第二条；你使君上因为一匹马的原因而杀人，百姓听说这件事后必定会怨恨我们的君上，其他诸侯听说这件事后一定会轻视我们的国家，你一次害死了君上的马，使君上积怨于百姓，使军力弱于邻国，这是你该当死罪的第三条。现在交付给监狱吧。”

景公感叹道：“先生放了他！先生放了他！不要败坏了我的仁德之名。”

内篇谏下第二

景公逐得斩竹者囚之晏子谏

【原文】

景公树竹，令吏谨守之。公出，过之，有斩竹者焉。公以车逐，得而拘之，将加罪焉。

晏子入见，曰："君亦闻吾先君丁公①乎？"

公曰："何如？"

晏子曰："丁公伐曲城，胜之，止②其财，出其民。公日自莅之。有舆③死人以出者，公怪之，令吏视之，则其中有金与玉焉。吏请杀其人，收其金玉。公曰：'以兵降城，以众图财，不仁。且吾闻之，人君者，宽惠慈众，不身传诛。'令舍之。"

公曰："善！"晏子退，公令出斩竹之囚。

【注释】

①丁公：齐国开国君主姜太公之子。因谥"丁"，故称。

②止：扣留。

③舆：这里指用车装载。

【译文】

齐景公种了些竹子，命令小吏小心看守它。景公出宫，路过竹林，发现那里正有砍竹子的人。景公乘车追赶，把砍竹人抓到后拘押了起来，准备治罪。

晏子进来拜见，说："君上也曾听说过我们的先君丁公的事迹吧？"

景公说："怎样？"

晏子说："丁公攻打曲城，攻下这座城邑后，扣留住那里的财物，迁出了城里的居民。丁公每日监督。有用车拉着死人出城的，丁公很奇怪，命令小吏去察看，发现车里有金和玉。小吏请求杀死那个人，收回他的金和玉。丁公说：'我们用武力攻下了这座城邑，又凭借人多夺取钱财，这已经很不仁义了。况且我听说，做国君的，应该宽厚恩惠对百姓仁慈，不亲自传下杀人的命令。'于是下令放了那个人。"

景公说："说得好！"晏子退下，景公命令放出砍竹子的犯人。

景公以抟治之兵未成功将杀之晏子谏

【原文】

景公令兵抟治，当腊冰月①之间而寒，民多冻馁，而功不成。公怒曰："为我杀兵二人。"晏子曰："诺。"

少为间，晏子曰："昔者先君庄公②之伐于晋也，其役杀兵四人。今令而杀兵二人，是杀师③之半也。"

公曰："诺！是寡人之过也。"令止之。

【注释】

①腊冰月：即夏历十二月和十一月。

②庄公：齐庄公，景公的异母兄、前任国君。

③师：军队。

【译文】

齐景公命令士兵制作陶坯，时值十一、十二月间，天气十分寒冷，百姓大多受冻挨饿，因此这件事情没有做成。景公十分生气地说：“给我杀掉两个士兵。”晏子说：“是。”

一会儿，晏子说：“当年先君庄公攻打晋国，那场战役只战死四个士兵，现在君上命令杀死两个士兵，是杀了那次军队出兵战死人数的一半。”

景公说：“是！这是寡人的过错。”下令停止杀士兵。

景公为长庲欲美之晏子谏

【原文】

景公为长庲，将欲美之。有风雨作，公与晏子入坐饮酒，致堂上之乐。酒酣，晏子作歌曰：“穗兮乎不得获，秋风至兮殚①零落，风雨之拂杀②也，太上③之靡弊也。”歌终，顾而流涕，张躬④而舞。

公就晏子而止之曰：“今日夫子为赐而诫于寡人，是寡人之罪。”遂废酒，罢役，不果成长庲。

【注释】

①殚：竭尽。

②拂杀：摧残。

③太上：对国君的尊称。

④躬：身体。

【译文】

齐景公修筑长庲之台，想要修筑得非常漂亮。一天风雨大作。景公和晏子进屋坐下喝酒，招来宫内的乐工在堂上奏乐。酒兴正浓时，晏子唱起歌来：“禾苗结穗啊却不能收获，秋风吹来啊全都掉落，风雨来摧残，国君来残害。”唱毕，转过头流泪，舒张身体舞动着。

景公走到晏子跟前劝止道："今天先生作歌相赐诫谏寡人，这是寡人的罪过。"于是停止饮酒，解除工役，最终没建成长庲之台。

景公为邹之长涂晏子谏

【原文】

景公筑路寝[①]之台，三年未息；又为长庲之役，二年未息；又为邹之长涂。

晏子谏曰："百姓之力勤矣！公不息乎？"

公曰："涂将成矣，请成而息之。"

对曰："君屈民财者，不得其利；穷民力者，不得其乐。昔者楚灵王作顷宫，三年未息也；又为章华之台[②]，五年又不息也；乾溪[③]之役，八年，百姓之力不足而息也。灵王死于乾溪，而民不与[④]归。今君不遵明君之义，而循灵王之迹，婴惧君有暴民之行，而不睹长庲之乐也，不若息之。"

公曰："善！非夫子，寡人不知得罪于百姓深也。"于是令勿委坏，余财勿收，斩板而去之。

【注释】

①路寝：古代君王处理政事的宫室，又称"正寝"。

②章华之台：楚国君王的离宫。

③乾溪：在今安徽亳州东南。

④与：许。

【译文】

齐景公修筑正寝宫殿的高台，历时三年没有停止；又兴起建造长庲之台的劳役，历时二年没有停止；又修建通往邹国的长途道路。

晏子进谏说："百姓的力役太多了，您还不停下来吗？"

景公说："道路快修完了，请等到修完了再停止吧。"

晏子回答说："国君如果枯竭了百姓的钱物，自己也不能从中得到利益；国君如果穷尽了百姓的力役，自己也不能从中得到安乐。从前楚灵王修建占地一顷的巍峨宫殿，历时三年没有停止；又修建章华之台，历时五年也没有停止；到乾溪的工程，历时八年，由于百姓无力完成而停止。楚灵王死在乾溪，是百姓不许他回国。现在君上不遵循圣明之君的仁义，却沿着楚灵王的足迹，我害怕君上有残害百姓的行为，而不能看到长庲之台上的快乐场面，不如把工程停止了吧。"

景公说："说得好！不是先生，寡人还不知自己得罪百姓这么厉害呀！"于是下令不要毁弃已经修好的工程，尚未征收的财物也不再继续收缴，砍断筑板的绳索，去除筑板，让服劳役的百姓离开工地回家。

景公春夏游猎兴役晏子谏

【原文】

景公春夏游猎，又起大台之役。晏子谏曰："春夏起役，且游猎，夺民农时[①]，国家空虚，不可。"

景公曰："吾闻相[②]贤者国治，臣忠者主逸。吾年无几矣，欲遂[③]吾所乐，卒吾所好，子其息矣。"

晏子曰："昔文王不敢盘游于田，故国昌而民安。楚灵王不废乾溪之役，起章华之台，而民叛之。今君不革，将危社稷[④]，而为诸侯笑。臣闻忠臣不避死，谏不违[⑤]罪。君不听臣，臣将逝矣。"

景公曰："唯唯⑥，将弛罢之。"未几，朝韦冏⑦解役而归。

【注释】

①夺民农时：这里指各种劳役、游猎，都需要征用劳力，这样就会使百姓失去耕种的时机。

②相（xiàng）：相国。

③遂：尽。

④社稷：同"社稷"，国家。

⑤违：避。

⑥唯唯：应答之声，表示听从。

⑦韦冏（jiǒng）：人名，景公的臣子。

【译文】

齐景公于春夏之际出游狩猎，同时还大兴修建高台的劳役。晏子进谏说："在春夏之际兴起劳役，而且还出游狩猎，会使百姓失去耕种的时机，导致国家库府空虚，不能这样。"

景公说："我听说相国贤明则国家安定，臣子忠诚则主上安逸。我的年岁没多少了，想享尽我一生的欢乐爱好，先生还是算了吧。"

晏子说："从前文王不敢流连于狩猎之乐，所以国家昌盛百姓安乐。楚灵王不中止乾溪的劳役，又兴建章华之台，因而百姓背弃了他。现在君上如果不改变自己的做法，将会危害国家，而被各国诸侯耻笑。下臣听说忠臣不怕死，进谏不避获罪。君上若不听下臣的劝谏，下臣就离开君上了。"

景公说："好的好的，我会解除停止这些劳役。"没有多久，景公召来韦冏让他解除劳役，自己也回朝了。

景公猎休坐地晏子席而谏

【原文】

景公猎休，坐地而食，晏子后至，灭葭[①]而席。公不说，曰："寡人不席而坐地，二三子[②]莫席，而子独搴[③]草而坐之，何也？"

晏子对曰："臣闻介胄坐陈[④]不席，狱讼不席，尸坐堂上不席，三者皆忧也。故不敢以忧侍坐。"

公曰："善。"令人下席曰："大夫皆席，寡人亦席矣。"

【注释】

①葭（jiā）：初生的芦苇。

②二三子：这里指随行的大臣。

③搴（qiān）：拔取。

④坐陈（zhèn）：守在阵地。陈，"阵"的古字。

【译文】

齐景公狩猎时休息，坐在地上吃饭，晏子后到，拔了些芦苇当作席子坐下。景公不高兴了，说："寡人不坐席子而坐在地上，随行的大夫们也没有谁坐席子，而先生一个人拔草坐在上面，这是为什么？"

晏子回答说："下臣听说全副武装守在阵地时不坐席子，有讼案在身时不坐席子，坐在堂上代死者受祭时不坐席子。这三种人都是怀有忧伤的。所以，不敢以忧伤之人的礼节陪坐。"

景公说："说得好。"命令随从铺下席子说："大夫们都坐席子，寡人也坐席子。"

景公猎逢蛇虎以为不祥晏子谏

【原文】

景公出猎，上山见虎，下泽见蛇。归，召晏子而问之曰："今日寡人出猎，上山则见虎，下泽则见蛇，殆①所谓不祥也？"

晏子对曰："国有三不祥，是不与焉。夫有贤而不知，一不祥；知而不用，二不祥；用而不任②，三不祥也。所谓不祥，乃若此者。今上山见虎，虎之室也；下泽见蛇，蛇之穴也。如③虎之室，如蛇之穴，而见之，曷为不祥也！"

【注释】

①殆（dài）：大概。

②任：委以重任。

③如：去。

【译文】

齐景公外出狩猎，上山时看到了老虎，下到沼泽时遇见了蛇。回去后，他召见晏子问他说："今天寡人出外狩猎，上山时看到了老虎，下到沼泽时遇见了蛇，大概这就是所说的不吉利吧？"

晏子回答说："国家有三件不吉利的事，君上所说的这件事不在其中。国有贤人而国君不知，这是第一件不吉利的事；知道了却不任用，这是第二件不吉利的事；任用了却不委以重任，这是第三件不吉利的事。所说的不吉利，就是像这些事情。如今君上上山时看到了老虎，那是因为山是老虎的栖身之地；下到沼泽时遇见了蛇，那是因为沼泽是蛇的藏身之所。君上去了老虎的栖身之地，去了蛇的藏身之所，于是见到了它们，这有什么不吉利的！”

景公为台成又欲为钟晏子谏

【原文】

景公为台，台成，又欲为钟。晏子谏曰：“君国[1]者不乐民之哀。君不胜[2]欲，既筑台矣，今复为钟，是重敛[3]于民，民必哀矣。夫敛民之哀而以为乐，不祥，非所以君国者。”公乃止。

【注释】

①君国：这里指当国君。

②不胜：禁不住，形容程度很高。

③敛：征收赋税。

【译文】

齐景公建造高台，高台建成后，又想铸造大钟。晏子进谏说：“当国君的人不以百姓的哀痛为快乐。君上的欲求无穷，已经筑成高台，现在又要铸造大钟，这是要对百姓加重征收赋税，百姓一定会很痛苦。加重征收赋税而使百姓悲苦以此为自己的快乐，这是不吉利的，不是为君之道。”齐景公于是作罢。

景公为泰吕成将以燕飨晏子谏

【原文】

景公为泰吕成，谓晏子曰：“吾欲与夫子燕。”对曰：“未祀先君而以燕，非礼也。”公曰：“何以礼为？”对曰：“夫礼者，民之纪[1]，纪乱则民失，乱纪失民，危道也。”公曰：“善。”乃以祀焉。

【注释】

①纪：伦理纲常。

【译文】

齐景公铸造成了大吕钟，对晏子说：“我想同先生宴饮庆祝一番。”晏子回答说：“还没有祭祀先君就宴饮庆祝，不合礼法。”齐景公说：“为什么要以礼行事呢？”晏子回答说：“礼，是百姓的伦理纲常，伦理纲常乱了就会失去百姓，乱了伦理纲常失去了百姓，这会危及王道。”景公说：“说得好。”于是以礼祭祀先君。

景公为履而饰以金玉晏子谏

【原文】

景公为履，黄金之綦[1]，饰以银，连以珠，良玉之绚[2]，其长尺，冰月服之以听朝。

晏子朝，公迎之，履重，仅能举足，问曰：“天寒乎？”

晏子曰：“君奚问天之寒也？古圣人制衣服也，冬轻而暖，夏轻而清[3]。今金玉之履，冰月服之，是重[4]寒也；履重不节，是过任也，失生之情矣。故鲁工不知寒温之节，轻重之量，以害正生，其罪一也；作服不常，以笑诸侯，其罪二也；用财无功，以怨百姓，其罪三也。请拘而使吏度之。”

公曰：“鲁工[5]苦，请释之。”

晏子曰：“不可。婴闻之，苦身为善者，其赏厚；苦身为非者，其罪重。”公不对。晏子出，令吏拘鲁工，令人送之境，使不得入。

公撤履，不复服也。

【注释】

①綦（qí）：鞋带。

②绚（qú）：鞋头的装饰物。

③清（qìng）：凉。

④重（chóng）：双倍。

⑤鲁工：为景公制鞋的鲁国工匠。

【译文】

齐景公做了一双鞋，用黄金做鞋带，装饰着白银，连缀着珍珠，还用上好的美玉做鞋头的装饰物，这双鞋有一尺长，在寒冷的十一月齐景公穿着它上朝听政。

晏子上朝，齐景公迎接他，由于鞋子太重，刚刚能抬起脚，他问晏子："天很冷吧？"

晏子说："君上为什么要问天冷不冷呢？古代圣人制作衣裳服饰，冬季的是轻而温暖，夏季的是轻而凉爽。现在君上这双黄金美玉装饰的鞋子，在十一月的寒冬穿着它，是加倍的寒冷；鞋子太重不合适，这是超出了身体的负担，损害了生理的常情。所以制作这双鞋的鲁国工匠不知道冷热的尺度、轻重的分量，损害了人正常的生理，这是他的第一条罪状；制作服饰不符合常情，而招致诸侯的嘲笑，这是他的第二条罪状；耗费钱财却没有得到好处，反而使百姓心生怨恨，这是他的第三条罪状。请把他押起来让官吏衡量治罪。"

景公说："鲁国工匠很辛劳，请放了他。"

晏子说："不行。我听说，劳苦自身做好事的人，他得的赏赐应丰厚；劳苦自身做坏事的人，他的罪名应加重。"景公无言以对。晏子出了宫后，命令官吏拘押了鲁国工匠，派人把他送到边境，不许他进入齐国。

景公脱去那双鞋子，再也不穿了。

景公为巨冠长衣以听朝晏子谏

【原文】

景公为巨冠长衣以听朝，疾视矜①立，日晏②不罢。

晏子进曰："圣人之服中，倪而不驵③，可以导众；其动作，倪顺而不逆，可以奉生。是以下皆法其服，而民争学其容。今君之服，驵华不可以导众；疾视矜立，不可以奉生。日晏矣，君不若脱服就燕④。"

公曰："寡人受命。"退朝，遂去衣冠，不复服。

【注释】

①矜：威严。

②晏：晚。

③驵（zǎng）：粗大。

④燕：通"宴"，休息。

【译文】

齐景公头戴巨大的帽子身穿长长的衣服来听取朝政，怒目而视，威严而立，天晚了还不退朝。

晏子进谏说："圣人的服饰应当适中，简单而不肥大，这样可以引导众人；他的举动行为，顺乎常理而没有不合适之处，这样可以养生。所以下官都会效法他的服饰，百姓都争相效仿他的仪态。现在君上的服饰，肥大华丽不能用来引导众人；怒目而视，威严而立，不能用来养生。天色已经晚了，君上不如脱去衣服休息吧。"

景公说："寡人听从先生的教导。"退了朝后，于是就衣服帽子，不再穿了。

景公朝居严下不言晏子谏

【原文】

晏子朝，复[①]于景公曰："朝居[②]严乎？"

公曰："朝居严，则曷害于治国家哉？"

晏子对曰："朝居严则下无言，下无言则上无闻矣。下无言则吾谓之喑[③]，上无闻则吾谓之聋。聋喑，非害治国家如何也！且合升鼓之微以满仓廪，合疏缕之纬以成帏幕。太山[④]之高，非一石也，累卑然后高。夫治天下者，非用一士之言也，固有受而不用，恶[⑤]有拒而不受者哉！"

【注释】

①复：禀告。

②朝居：坐朝听政。

③喑（yīn）：哑。

④太山：泰山。

⑤恶（wū）：哪里。

【译文】

晏子上朝，禀告景公说："君上坐朝听政太傲慢威严了吧？"

景公说："坐朝听政威严一些，对治理国家有什么害处呢？"

晏子答道："坐朝听政傲慢威严，则做臣下的就不敢说话，臣下不敢说话，在上的君王就什么也听不到了。臣下不说话我就称之为哑，君上什么也听不到我称之为聋。又聋又哑，不是有害于国家又是什么呢！况且汇合一升一斛的微小之数的粮食才能装满粮仓，汇合稀疏的丝线才能织成帏幕。泰山之所以那般高耸，不是一块石头形成的，而是垒积众多石块然后才高大起来的。治理天下，不是听用一个人的话，向来只有听过而不采用的，哪里有拒绝而不听的呢？”

景公欲以人礼葬走狗晏子谏

【原文】

景公走狗死，公令外共[①]之棺，内给[②]之祭。

晏子闻之，谏。公曰：“亦细物也，特以与左右为笑耳。”

晏子曰：“君过矣！夫厚藉敛不以反民，弃货财而笑左右。傲细民之忧，而崇左右之笑，则国亦无望已。且夫孤老冻馁[③]，而死狗有祭；鳏寡不恤，而死狗有棺。行辟若此，百姓闻之，必怨吾君；诸侯闻之，必轻吾国。怨聚于百姓，而权轻于诸侯，而乃以为细物，君其图之。”

公曰：“善。”趣[④]庖[⑤]治狗，以会朝属[⑥]。

【注释】

①共（gōng）：通“供”，提供。

②给（jǐ）：供给。

③馁（něi）：饥饿。

④趣（cù）：催促。

⑤庖（páo）：厨房，厨师。

⑥朝属：左右臣属。

【译文】

齐景公的猎狗死了，景公命令宫外为它提供棺材，宫内为它供给祭奠。

晏子听说了这件事，进谏景公。景公说：“不过是件小事，只是同身边的人取乐罢了。”

晏子说：“君上错了！君上征收那么重的赋税而不把它用回到百姓身上，却浪费资财与身边之人取笑。轻视小民的忧苦，而重视身边之人的玩乐，那国家就没有希望了。况且孤苦老弱之人受冻挨饿，而一条死狗却能得到祭品；鳏夫寡妇不能得到怜恤，而一条死狗却有棺材。行为邪僻到如此地步，让百姓听说了这件事，必然怨恨我们的国君；让诸侯听说了这件事，必然轻视我们的国家。怨恨积聚于百姓，权威减少于诸侯，却还认为这是小事，君上好好想想吧。”

景公说：“说得好。”于是催促厨师把狗烹了，用它宴请了朝臣。

景公登射思得勇力士与之图国晏子谏

【原文】

景公登射，晏子修礼而侍。公曰：“选射之礼，寡人厌之矣！吾欲得天下勇士，与之图①国。”

晏子对曰：“君子无礼，是庶人也；庶人无礼，是禽兽也。夫臣勇多则弑其君，子力多则杀其长，然而不敢者，维礼之谓也。礼者所以御②民也，辔③者所以御马也。无礼而能治国家者，婴未之闻也。”

景公曰：“善。”乃饬④射更席，以为上客，终日问礼。

【注释】

①图：谋划。

②御：驾驭，统治。

③辔（pèi）：缰绳。

④饬（chì）：整治。

【译文】

齐景公登堂举行射礼，晏子按照礼仪侍奉他。景公说："选射的礼节，寡人已厌烦了！我想要得到天下的勇力之士，与他共谋国事。"

晏子回答说："君王不讲求礼法，等同于庶人；庶人不讲求礼法，等同于禽兽。臣子勇力多了就能弑杀他的国君，儿子力气大就能杀害他的父亲，但他们不敢这样做，是因为有礼法的约束。礼法是用来驾驭百姓的，就像缰绳是用来驾驭马的。没有礼法而能够治理好国家的，我没听说过。"

景公说："说得好。"于是整顿射礼更换席位，将晏子奉为上宾，整日向他请教礼法问题。

内篇问上第三

庄公问威当世服天下时耶晏子对以行也

【原文】

庄公问晏子曰："威当世而服天下，时耶？"

晏子对曰："行也。"

公曰："何行？"

对曰："能爱邦内之民者，能服境外之不善；重士民之死力者，能禁暴国①之邪逆；中听②任贤者，能威诸侯；安仁义而乐利世者，能服天下。不能爱邦内之民者，不能服境外之不善；轻士民之死力者，不能禁暴国之邪逆；愎谏③傲贤者，不能威诸侯；倍④仁义而贪名实者，不能服天下。威当世而服天下者，此其道也已。"而公不用，晏子退而穷处。

公任勇力之士，而轻臣仆之死，用兵无休，国罢⑤民害。期年⑥，百姓大乱，而身及崔氏祸。

君子曰："尽忠不豫交，不用不怀禄，晏子可谓廉矣！"

【注释】

①暴国：以暴力残害国家。

②中听：听取中正之言。

③愎（bì）谏：这里指固执而不听劝谏。

④倍：通"背"，违背。

⑤罢（pí）：疲弱。

⑥期（jī）年：一整年。

【译文】

齐庄公问晏子说：“要想威震当世而使天下归服，靠的是时运吗？”

晏子回答说：“靠的是行为。”

庄公问：“什么样的行为？”

晏子回答说：“爱护国内百姓的国君，能使境外心怀叵测的人归服；重视士人庶民劳苦付出的国君，能够消除残害国家的邪恶逆乱；听取中正之言、任用贤人的国君，能够威慑诸侯；安于仁义而乐于为世人谋利的国君，能够使天下归服。不爱护国内百姓的国君，不能使境外心怀叵测的人归服；轻视士人庶民百姓付出的劳苦的国君，不能消除残害国家的邪恶逆乱；固执而不听劝谏、怠慢贤人的国君，不能威慑诸侯；违背仁义而贪图虚名与功利的国君，不能使天下归服。要想威震当世而使天下归服，这就是实现它的必然之道。”然而庄公没有采用晏子的意见，晏子辞了官隐居于偏僻穷困之地。

庄公任用勇力之士，而不顾臣子仆从的死活，不断发动战争，导致国家疲弱百姓遭殃。一年后，百姓大乱，庄公自己也被崔杼所杀。

君子说：“竭尽忠诚而不预先结交国君，不被任用就不留恋职任，晏子真可称得上廉正了！”

庄公问伐晋晏子对以不可若不济国之福

【原文】

庄公将伐晋，问于晏子，晏子对曰：“不可。君得合①而欲多，养欲而意骄。得合而欲多者危，养欲而意骄者困。今君任勇力之士，以伐明主。若不济，国之福也；不德而有功，忧必及君。”公作色不说。晏子辞不为臣，退而穷处，堂下生蓼藿[2]，门外生荆棘。

庄公终任勇力之士，西伐晋，取朝歌[3]，及太行、孟门，兹于[4]兑。期而民散，身灭于崔氏。

【注释】

①合：通“给”，足。

②蓼藿（liǎo huò）：杂草名。

③朝（zhāo）歌：在今河南淇县。

④兹于：通“且（jū）于”，在今山东莒县。

【译文】

齐庄公准备攻打晋国，询问于晏子，晏子回答说：“不行。君上所得已经足够但欲望很多，滋长欲望又意气骄纵。所得已经足够但欲望越多的人就会很危险，滋长欲望又意气骄纵的人就会招致困厄。如今君上任用勇力之士，去攻伐诸侯盟主。如果不成功，这是国家的福分。不施仁德而有战功，忧患必然会降临到君上身上。”庄公变了脸色很不高兴。晏子辞了官不当臣子，退隐于偏僻穷困之地，堂前长满了杂草，门外长满了荆棘。

庄公最终还是任用勇力之士，向西攻伐晋国，攻取了朝歌城，到达太行山、孟门隘道，回师时又攻入莒国的且于狭道。一年后百姓离散，庄公自己也被崔杼所杀。

景公问伐鲁晏子对以不若修政待其乱

【原文】

景公举兵欲伐鲁，以问晏子，晏子对曰：“不可。鲁公好义而民戴之，好义者安，见[1]戴者和，伯禽[2]之治存焉，故不可攻。攻义者不祥，危安者必困。且婴闻之，伐人者，德足以安其国，政足以和其民，国安民和，然后可以举兵而征暴。今君好酒而辟，德无以安国；厚藉敛而急使令，政无以和民。德无以安之则危，政无以和之则乱。未免乎危乱之理，而欲伐安和之国，不可，不若修政而待其君之乱也。民离其君，上怨其下，然后伐之，则义厚而利多，义厚则敌寡，利多则民欢。”

公曰：“善。”遂不果伐鲁。

【注释】

①见：被。

②伯禽：周公姬旦长子，为鲁国始祖。

【译文】

齐景公发兵准备攻打鲁国，向晏子征求意见，晏子回答说：“不行。鲁君好仁义而百姓爱戴他，好仁义的国家安定，被爱戴的国君与百姓亲和，当年鲁国始祖伯禽的教化还存在呢，所以不能去攻打。攻打仁义之国不吉利，危害安定的国家必定招致困厄。而且我听说，攻伐他国的人，自身的德行要完全能够安定他的国家，政治要完全能够亲和他的百姓，国家安定百姓亲和，这样之后才可以发兵攻伐暴虐之国。如今君上嗜好饮酒行为邪僻，德行不能安定国家；赋税沉重政令迭出，政治不能亲和百姓。德行无法安定国家就会危险，政治无法亲和百姓就会混乱。不能免除危险混乱的缘由，却想攻伐社会安定百姓亲和的国家，这是不可以的，不如修明政治等着他们的国君乱政之时。百姓与国君离心，国君怨恨百姓，这样之后再攻伐它，就会仁义重而得利多，仁义重则敌人少，得利多则百姓高兴。”

景公说：“说得好。”于是就不攻打鲁国了。

景公伐欙胜之问所当赏晏子对以谋胜禄臣

【原文】

景公伐欙，胜之，问晏子曰："吾欲赏于欙[1]，何如？"

对曰："臣闻之，以臣谋胜国者，益臣之禄；以民力胜国者，益民之利。故上有羡[2]获，下有加利，君上享其名，臣下利其实。故用智者[3]不偷业，用力者[4]不伤苦，此古之善伐者也。"

公曰："善。"于是破欙之臣、东邑之卒，皆有加利。是上独擅[5]名，利下流也。

【注释】

①欙：这里指攻打莱国时的功臣。

②羡：盈余。

③用智者：出谋划策的臣子。

④用力者：出力的士兵百姓。

⑤擅：据有。

【译文】

齐景公出兵攻打莱国，取得了胜利，问晏子说："我想赏赐攻打莱国的功臣，怎么样？"

晏子回答说："下臣听说，以臣子的谋略战胜他国的，应提高臣子的俸禄；以百姓的力量战胜他国的，应提高百姓的利益。所以在上的国君有盈余的收获，在下的臣民就有增加的利益，国君享有名声，臣下获得实惠。所以运用才智的臣子不会怠于本职，运用力量的百姓不会抱怨辛苦，这是古代善于征伐的人的做法。"

景公说："说得好。"因此，攻破莱国的功臣、东部城邑的士卒，都增加了利益。这就是在上的国君据有名声，在下的臣民得到实惠。

景公问圣王其行若何晏子对以衰世而讽

【原文】

景公外傲诸侯，内轻百姓，好勇力，崇乐以从嗜欲，诸侯不说，百姓不亲。公患之，问于晏子曰："古之圣王，其行若何？"

晏子对曰："其行公正而无邪，故谗人不得入；不阿党，不私[1]色，故群徒之卒[2]不得容；薄身厚民，故聚敛之人不得行；不侵大国之地，不秏[3]小国之民，故诸侯皆欲其尊；不劫人以兵甲，不威人以众强，故天下皆欲其强；德行教训加于诸侯，慈爱利泽加于百姓，故海内归之若流水。今衰世君人者，辟邪阿党，故谗谄群徒之卒繁；厚身养，薄视民，故聚敛之人行；侵大国之地，秏小国之民，故诸侯不欲其尊；劫人以兵甲，威人以众强，故天下不欲其强；灾害加于诸侯，劳苦施于百姓，故雠敌[4]进伐，天下不救，贵戚离散，百姓不与[5]。"

公曰："然则何若？"

对曰："请卑辞重币，以说于诸侯；轻罪省功[6]，以谢于百姓。其可乎？"

公曰："诺。"于是卑辞重币，而诸侯附；轻罪省功，而百姓亲。故小国入朝，燕、鲁共贡。

墨子闻之曰："晏子知道，道在为人，而失在为己。为人者重，自为者轻。景公自为，而百姓不与；为人，而诸侯为役。则道在为人，而行在反己矣。故晏子知道矣。"

【注释】

①私：偏爱。

②群徒之卒：这里指以私情私利拉帮结伙的小人。

③秏（hào）：同“耗”，消耗。

④雠（chóu）敌：仇敌。

⑤与：亲附。

⑥功：这里指徭役。

【译文】

齐景公对外傲视诸侯，对内轻视百姓，喜好勇力，崇尚享乐而放纵自己的嗜好与欲望，诸侯不高兴，百姓不亲附。景公为此很担心，问晏子说：“古代的圣王，他们的行为是怎样的？”

晏子回答说：“他们的行为公正无邪，所以谗谀之人不能进入朝廷；不结党营私，不偏爱女色，所以拉帮结伙之人不能容身于朝廷；自身节俭而厚待百姓，所以搜刮敛财之人不能横行；不侵占大国的土地，不消耗小国的民力，所以诸侯都希望以他们为尊；不以武力劫掠他人，不以人多势众威迫别人，所以天下的人都希望他们强大；德行教化施行于诸侯，慈爱恩惠施行于百姓，所以天下人像流水一样归附他们。如今衰败之世的国君，行为邪僻结党营私，所以谗言谄媚拉帮结伙之人众多；厚待自身供养，轻薄对待百姓，所以搜刮敛财之人能横行；侵占大国的土地，消耗小国的民力，所以诸侯不希望以他们为尊；以武力劫掠他人，以人多势众威迫他人，所以天下的人不希望他强大；将灾害施加给诸侯，将劳苦施加给百姓，所以仇敌进逼攻伐时，天下人不来救援，王族亲戚叛离逃散，百姓也不来亲附。”

景公说：“那该怎么办？”

回答说：“请君上用谦卑的言辞与厚重的礼物，以此来取悦于诸侯；减轻刑罚减省劳役，以此来谢罪于百姓。这大概就可以吧？”

景公说：“好吧。”因此以谦卑的言辞与厚重的礼物取悦诸侯，于是诸侯都来归附；减轻刑罚减省劳役，于是百姓都来亲附。所以小国来朝觐，燕国、鲁国一同来进献贡品。

墨子听说这件事后说：“晏子懂得治国之道，治国之道在于为他人谋利，而失于为自己着想。为他人者会赢得尊重，为自己者会被人轻视。景公为自己着想，因而百姓不来亲附；为他人谋利，因而诸侯都任他役使。可见治国之道在于为他人谋利，而行为上则在于反躬自省。所以说晏子懂得治国之道。”

景公问治国何患晏子对以社鼠猛狗

【原文】

景公问于晏子曰：“治国何患？”

晏子对曰：“患夫社鼠。”

公曰：“何谓也？”

对曰：“夫社，束木而涂之，鼠因往托焉，熏之则恐烧其木，灌之则恐败其涂，此鼠所以不可得杀者，以社故也。夫国亦有社鼠，人主左右是也。内则蔽善恶于君上，外则卖权重于百姓。不诛之，则为乱；诛之，则为人主所案据①，腹②而有之。此亦国之社鼠也。宋人有酤酒者，为器甚洁清，置表甚长，而酒酸不售，问之里人其故，里人曰：‘公之狗猛，人挈③器而入，且酤公酒，狗迎而噬④之，此酒所以酸而不售也。’夫国亦有猛狗，用事者是也。有道术之士，欲干万乘之主⑤，而用事者迎而龁⑥之，此亦国之猛狗也。左右为社鼠，用事者为猛狗，主安得无壅⑦，国安得无患乎？”

【注释】

①案据：安定，平息。

②腹：这里指包庇。

③挈（qiè）：提。

④噬（shì）：咬。

⑤万乘之主：这里指大国之君。

⑥龁（hé）：咬。

⑦壅：堵塞，蒙蔽。

【译文】

齐景公问晏子说："治理国家有什么忧患？"

晏子回答说："忧患就是那社庙中的老鼠。"

景公说："这是什么意思？"

晏子回答说："社庙，是捆扎木头再抹上泥巴建筑的，老鼠因此在那里寄身，用火熏它则担心烧了社庙的木头，用水灌它则担心毁坏了涂抹的泥巴，这些老鼠之所以无法得而杀之，原因就在于社庙。国家也有社鼠，国君的左右近臣就是。他们在朝廷内不论好事坏事都对君王隐瞒，在朝廷外则向百姓炫耀权力。不杀他们，他们就会作乱；要杀他们，国君又会安抚平息事态，庇护宽赦他们。这也就是国家的社鼠。宋国有个卖酒的人，使用的器具很洁净，悬挂的酒幌很长，但酒酸了卖不出去，于是向邻居询问是什么原因，邻居说：'您的狗太凶猛了，有人提着酒器进去，要买您的酒，您的狗却迎面扑上去咬他，这是您的酒之所以变酸而卖不出去的原因。'国家也有这样凶猛的狗，那些掌权管事的人就是。有才能的士人，想要进言献策以求重用于大国之君，然而那些掌权管事之人迎面扑上去咬他，这也就是国家的凶猛的狗。国君的左右近臣是社鼠，掌权管事者是猛狗，国君怎能不被蒙蔽？国家怎能没有忧患？"

景公问欲令祝史求福晏子对以当辞罪而无求

【原文】

景公问晏子曰："寡人意气衰，身病甚。今吾欲具圭璧牺牲，令祝宗[1]荐之乎上帝宗庙，意者祀可以干福乎？"

晏子对曰："婴闻之，古者先君之干福也，政必合乎民，行必顺乎神。节宫室，不敢大斩伐，以无逼山林；节饮食，无多畋[2]渔，以无逼川泽；祝宗用事，辞罪而不敢有所求也。是以神民俱顺，而山川纳禄。今君政反乎民，而行悖[3]乎神。大宫室，多斩伐，以逼山林；羡饮食，多畋渔，以逼川泽。是以民神俱怨，而山川收禄。司过荐罪，而祝宗祈福，意者逆乎！"

公曰："寡人非夫子无所闻此，请革心易行。"于是废公阜[4]之游，止海食之献；斩伐者以时[5]，畋渔者有数；居处饮食，节之勿羡；祝宗用事，辞罪而不敢有所求也。故邻国忌之，百姓亲之，晏子没而后衰。

【注释】

①祝宗：祝官和宗官，都是掌管祭祀祝祷的官。

②畋（tián）：打猎。

③悖（bèi）：违背。

④公阜：地名。

⑤以时：按照时令。

【译文】

齐景公问晏子说："寡人精神元气衰落，身上的疾病非常严重。现在我想要备办美玉礼器和牛羊祭品，命祝官、宗官把这些敬献给上帝和祖宗神灵，我想通过祭祀能够求来福运吧？"

晏子回答说："我听说，古时先王想要求来福运，政治必定符合民心，行事必定顺于神意。有节制地修宫室，不敢大肆砍伐树木，以便不侵害高山森林资源；有节俭地饮食，不会过多地打猎、捕鱼，以便不侵害河流沼泽资源；祝官、宗官祭祀、祈祷时，只告知罪过而不敢有所求取。所以神灵与百姓都很顺从，而高山河流也都进献取用不尽的财富。现在君上的政治违反民心，行事违背神意。大建宫室，过度砍伐，侵害了高山森林的资源；饮食奢侈，过度打猎、捕鱼，侵害了河流沼泽的资源。因此百姓与神灵都怨恨，而高山河流也都收回了取用不尽的财富。司过官在列举罪过，而祝官、宗官却在祈求降福，我想这是相互违背的吧！"

景公说："寡人要是没有先生就听不到这样的话，请让我改变想法和行为。"于是终止了去公阜游玩的计划，停止了海产的进献；砍伐树木按照时令进行，打猎、捕鱼限定了次数；住处和饮食，有节制而不奢侈；祝官、宗官祭祀祈祷时，只告知罪过而不敢有所求取。因此邻国忌惮齐国，百姓亲附齐国，直到晏子死后齐国才衰败下来。

景公问古之盛君其行如何晏子对以问道者更正

【原文】

景公问晏子曰："古之盛君，其行何如？"

晏子对曰："薄于身而厚于民，约于身而广于世。其处上也，足以明政行教，不以威天下；其取财也，权有无，均贫富，不以养嗜欲。诛不避贵，赏不遗贱；不淫于乐，不遁于哀[①]。尽智导民而不伐焉，劳力事民而不责焉。政尚相利，故下不以相害为行；教尚相爱，故民不以相恶为名。刑罚中[②]于法，废置顺于民。是以贤者处上而不华，不肖者处下而不怨。四海之内，社稷之中，粒食之民，一意同欲，若夫私家之政，生有厚利，死有遗教。此盛君之行也。臣闻问道者更正，闻道者更容。今君税敛重，故民心离；市买悖，故商旅[3]绝；玩好充，故家货[4]殚。积邪在于上，蓄怨藏于民，嗜欲备于侧，毁非满于国，而公不图。”

公曰：“善。”于是令玩好不御，公市[5]不豫，宫室不饰，业土不成，止役轻税。上下行之，而百姓相亲。

【注释】

①遁（xún）于哀：这里指沉溺于哀伤不能自拔。

②中（zhòng）：合。

③商旅：流动的商人。

④家货：百姓家里的财物。

⑤公市：市场交易。

【译文】

齐景公问晏子说：“古代那些功业盛大的国君，他们的行为怎样？”

晏子回答说：“他们节俭自身而厚待百姓，约束自己而宽容世人。他们身居君位，能够完全实行清明的政治并推行教化，而不威迫天下；他们征收财物，权衡有无，均衡贫富，而不用来滋长自己的嗜好与欲望。诛责不回避权贵，奖赏不遗漏贫贱；不过度欢乐，也不沉溺于哀伤。竭尽自己的智慧引导人民而不夸功，辛苦劳累为民办事而无所求。政治方面崇尚相互有利，所以下面的百姓不以相互伤害为日常行为；施行教化崇尚相互爱护，所以百姓不以相互怨恨为自己正名。施行刑罚合于法律，罢免任用顺于民心。所以贤德之人身处高位而不得意喧哗，平庸的人身处下位也没有怨言。四海之内，社稷之中，凡是吃谷食米的百姓，同心同德，（建设国家）就好像是自家的家务一样，活着的时候对百姓施以厚利，死去的时候留下美德教育后人。这就是那些功业盛大的国君的行为。下臣听说询问治国之道的人是想要改正自己的行为，因此听到治国之道后脸色表情就会发生变化。如今君上赋税沉重，所以民心背离；市场混乱，所以流动的商人绝迹；君上喜欢的玩物充足，所以百姓家里的财物就竭尽了。邪僻之气聚结于上，怨恨之气储藏于民心，满足君上嗜好贪欲的东西都备办在身边，各种诋毁非难的言论充满了国家，而君上却不放在心上。”

景公说：“说得好。”于是下令不再进献喜欢的玩物，市场交易不许欺诈，宫室不再装饰，正在修建的土木工程不再修筑，停止劳役减轻赋税。上上下下照此实行，于是百姓都亲附于景公。

景公问善为国家者何如晏子对以举贤官能

【原文】

景公问晏子曰：“莅国①治民，善为国家者，何如？”

晏子对曰：“举贤以临国，官能以敕民，则其道也。举贤官能，则民与②君矣。”

公曰：“虽有贤能，吾庸③知乎？”

晏子对曰：“贤而隐④，庸为贤乎？吾君亦不务乎是，故不知也。”

公曰：“请问求贤。”

对曰：“观之以其游，说之以其行。无以靡曼辩辞定其行，无以毁誉非议定其身，如此，则不为行以扬声⑤，不掩欲以荣君[6]。故通则视其所举，穷则视其所不为，富则视其所分，贫则视其所不取。夫上士，难进而易退也；其次，易进而易退也；其下，易进而难退也。以此数物者取人，其可乎！”

【注释】

①莅（lì）国：统治国家。

②与：亲附。

③庸：怎么。

④隐：这里指不被发现。

⑤扬声：用花言巧语宣扬自己。

⑥荣君：这里指在国君面前求得尊显荣耀的地位。

【译文】

齐景公问晏子说：“统治国家治理百姓，善于治理国家的人，是怎样的呢？”

晏子回答说：“提拔贤人治理国家，任用能人治理百姓，这就是他的治国之道。提拔贤人任用能人，那么百姓就会亲附国君。”

景公说：“即使有贤能之人，我怎么知道呢？”

晏子回答说：“贤人如果不被发现，怎么能算是贤人呢？君上也不致力于这方面，所以不知道。”

景公说：“寡人向先生请教求贤的方法。”

晏子回答说：“通过他的交游观察他，通过他的行为品评他。不要凭他的华丽雄辩的言辞判定他的品行，也不要以人们对他的诋毁赞誉以及非议判定他的身份，这样，他就不会为了标榜行为而花言巧语宣扬自己，也不会掩饰自己的欲望向国君求得尊显荣耀的身份。所以显达时看他荐举的是什么样的人，困顿时看他不做的是什么样的事，富有时看他把财物分发给什么样的人，贫穷时看他不要的是什么样的东西。上等的士人，不轻易进身为官而轻易引退；次一等的人，能轻易进身为官也轻易引退；下等的人，能轻易进身为官而不轻易引退。用这几种方法选用人才，大概就可以了吧！”

景公问君臣身尊而荣难乎晏子对以易

【原文】

景公问晏子曰：“为君身尊民安，为臣事治身荣，难乎，易乎？”

晏子对曰：“易。”

公曰：“何若？”

对曰：“为君，节养，其余以顾民，则身尊而民安；为臣，忠信而无逾[1]职业，则事治而身荣。”

公又问：“为君何行则危？为臣何行则废[2]？”

晏子对曰：“为君，厚藉敛而托之为民，进谗谀而托之用贤，远公正而托之不顺。君行此三者则危。为臣，比周[3]以求进；逾职业，防下隐利而求多；从君，不陈过而求亲。人臣行此三者则废。故明君不以邪观民，守则而不亏，立法仪而不犯，苟有所求于民，不以身害之，是故刑政安于下，民心固于上。故察士[4]不比周而进，不为苟而求，言无阴阳[5]，行无内外，顺则进，否则退，不与上行邪，是以进不失廉，退不失行也。”

【注释】

①逾：超越。

②废：身败名裂。

③比周：不正当的勾当。

④察士：明察事理的士人。

⑤阴阳：这里是指阳奉阴违。

【译文】

齐景公问晏子说："做国君的，身份尊贵百姓安乐；做臣子的，做好本职而身份荣耀，这样困难呢？还是容易呢？"

晏子回答说："容易。"

景公说："应该怎样呢？"

晏子回答说："做国君的，节制自己的奉养，节省下来的用以照顾百姓，这样身份尊贵而百姓安乐；做臣子的，忠诚守信而不越权，这样就会做好本职而身份荣耀。"

景公又问道："做国君的怎样做会危及自身？做臣子怎样做会身败名裂？"

晏子回答说："做国君的，加重征收赋税却借口是为了百姓，任用谗言阿谀之人却借口是任用贤人，疏远无私正直之人却借口是他们不顺从，国君做了这三种事就有危险了。做臣子的，结党营私以求进身，超越职权、防备下属瞒报私利而贪求多取，侍从国君却不指陈过错，而只求亲近。做臣子做这三种事就会身败名裂。所以圣明之君不用邪行示范给百姓，严守法则而不加以损害，树立法度规则而不加以冒犯，如果有所求于百姓，也不以自身的欲求伤害他们，所以刑法政令得以安稳实施于百姓，百姓之心紧密依附于国君。所以明察事理的士人不结党营私以求进身，不为苟且之事而索取，说话不阳奉阴违，行为没有表里不一，顺遂心意就进身，不合心意就引退，不亲附国君而行邪僻之事，因此，进身而不失其廉正，引退而不失其品行。"

景公问天下之所以存亡晏子对以六说

【原文】

景公问晏子曰："寡人持不仁①，其无义耳也。不然，北面与夫子而义。"

晏子对曰："婴，人臣也，公曷为出若言？"

公曰："请终②问天下之所以存亡。"

晏子曰："缦密③不能，蔍苴④不学者诎。身无以用人，而又不为人用者卑。善人不能戚，恶人不能疏者危。交游朋友，无以说于人，又不能说人者穷。事君要⑤利，大者不得，小者不为者馁。修道立义，大不能专，小不能附者灭。此足以观存亡矣。"

【注释】

①持不仁：没有仁德。

②终：彻底。

③缦（màn）密：精微细密。

④蔍苴（cū jū）：粗陋疏略。

⑤要：求，取。

【译文】

齐景公问晏子说："寡人没有仁德，大概是不适宜为君了。不如这样，我做臣子而让位给先生这样才适宜。"

晏子回答说："我晏婴，只是个臣子啊，君上怎么能说这样的话？"

景公说："寡人想向先生彻底地请教天下存亡的根本原因。"

晏子说："精微细密的事不会做，粗陋疏略的事又不愿意学的人只能受挫。自身没有用人的才能，又不愿被人所用的人只能身处卑微。好人不能亲近，坏人又不能疏远的人会很危险。与人结交朋辈往来，不能被人喜欢，又不能喜欢别人的人终生困顿。侍奉国君专爱求取私利，大利得不到，小利又不愿要的人就要挨饿。修养道德树立仁义，大仁大德不能专一，小善小义又不愿兼有的人就要灭亡。从这些方面就完全能够观察天下存亡之理了。"

景公问君子常行曷若晏子对以三者

【原文】

景公问晏子曰："君子常行曷若①？"

晏子对曰："衣冠不中②，不敢以入朝；所言不义，不敢以要③君；身行不顺，治事不公，不敢以莅众。衣冠无不中，故朝无奇僻之服；所言无不义，故下无伪上之报；身行顺，治事公，故国无阿④党之义。三者，君子之常行也。"

【注释】

①曷若：怎么样。

②中：适当。

③要（yāo）：这里指强谏，迫使对方听从。

④阿（ē）：偏私。

【译文】

齐景公问晏子说："君子的日常行为是怎么样的？"

晏子回答说："衣冠不适当，就不敢穿戴着进入朝廷；说的话不符合道义，就不敢强谏国君迫使他听从；自身行为不能正当合理，处理事情不能公正无私，就不敢以此去管理众民。君子的衣冠没有不适当，所以朝中就没有奇装异服；所说的话没有不符合道义的，所以臣下就没有欺骗国君的虚假报告；自身行为正直合理，处理办事公正无私，所以国家就没有偏私结党的邪行。这三个方面，就是君子的日常所行啊。”

景公问贤君治国若何晏子对以任贤爱民

【原文】

景公问晏子曰：“贤君之治国若何？”

晏子对曰：“其政任贤，其行爱民；其取下节，其自养俭；在上不犯下，在治不傲穷[①]；从邪害民者有罪，进善举过者有赏。其政，刻上而饶下，赦过而救穷；不因喜以加赏，不因怒以加罚；不从欲以劳民，不修怒[②]而危国；上无骄行，下无谄德；上无私义，下无窃权[③]；上无朽蠹之藏，下无冻馁之民；不事骄行而尚同，其民安乐而尚亲。贤君之治国若此。”

【注释】

①穷：这里指困窘。

②修怒：指结怨于诸侯。

③窃权：这里指不遵法度，私自弄权。

【译文】

齐景公问晏子说：“贤明的国君是怎样治理国家的？”

晏子回答说：“他在政事上任用贤人，在行为上爱护百姓；他向下索取适度，自己的俸养节俭；居于上位而不欺凌臣下子民，国家繁荣富强而不轻视弱寡之国；对放纵邪恶来坑害百姓的人进行治罪，对进献良言检举过失之人给予奖励。他治理国家，对上严厉而对下宽容，宽赦犯错误的人而救助身处困窘之人；不因为自己高兴了便加以赏赐，不因为自己生气了便加以处罚；不为了放纵自己的私欲而劳役百姓，不结怨于诸侯而危害国家；在上的国君没有骄横的行为，在下的臣子没有谄媚的德行；在上的国君没有自私的想法，在下的臣子不敢私自弄权；庙堂之上没有朽败虫蛀的藏贮，民间没有受冻挨饿的百姓；不从事骄横的行为而崇尚上下同心，他的百姓安居乐业而崇尚相亲相爱。贤明的国君就是这样治理国家的。”

景公问明王之教民何若晏子对以先行义

【原文】

景公问晏子曰：“明王之教民何若？”

晏子对曰：“明其教令，而先之以行义；养民不苛，而防之以刑辟①。所求于下者，必务于上；所禁于民者，不行于身。守于民财，无亏之以利，立于仪②法，不犯之以邪，苟③所求于民，不以身害之，故下从其教也；称事以任民，中④听以禁邪，不穷之以劳，不害之以罚，苟所禁于民，不以事逆之，故下不敢犯其上也。古者百里而异习，千里而殊俗，故明王修道，一民同俗，上以爱民为法，下以相亲为义，是以天下不相违。此明王之教民也。”

【注释】

①辟（bì）：法。

②仪：准则。

③苟：如果。

④中：公正。

【译文】

齐景公问晏子说:“圣明的国君是怎样教化百姓的?”

晏子回答说:“宣明他的教令,并由自己首先实行以此来奉行道义;教育百姓不苛刻,而用刑法来防止他们犯罪。对臣民有所要求的,国君也务必要做到;禁止百姓做的,自身也不去施行。守护百姓的财物,不因一己私利去挥霍它;制定了准则法度,不以邪行去触犯它。如果向百姓有什么求取的话,也不以自身原因去伤害他们,因此百姓就会听从他的教化。根据实际需要来役使百姓,公正地断案来禁止邪僻之行。不以过度的劳役来使百姓穷困,不以不当的刑罚来坑害百姓。如果有禁止百姓做的事,国君也不以任何借口违犯它,所以百姓就不敢犯上作乱。古时候百里不同习,千里不同俗,圣明国君的治国之道,是统一民风民俗,国君以爱护百姓为法则,百姓以相亲相爱为道义,因此天下之人都不相互违逆。这就是圣明的国君教化百姓的方法。”

景公问忠臣之事君何若晏子对以不与君陷于难

【原文】

景公问于晏子曰:“忠臣之事①君何若?”

晏子对曰:“有难不死②,出亡不送③。”

公不说,曰:“君裂地而封之,疏爵而贵之,君有难不死,出亡不送,其说何也?”

对曰:“言而见用,终身无难,臣奚死焉?谋而见从,终身不亡,臣奚送焉?若言不见用,有难而死之,是妄死④也;谋而不见从,出亡而送之,是诈伪也。故忠臣也者,能纳⑤善于君,不能与君陷于难。”

【注释】

①事：侍奉。

②不死：这里指不为国君而死。

③送：随。

④妄死：这里指死得没有价值。

⑤纳：进献。

【译文】

齐景公问晏子说：“忠臣是怎样侍奉国君的？”

晏子回答说：“国君有灾难时他不为之而死，国君逃亡他不随之逃亡。”

景公不高兴，说：“国君划割土地分封给他，分封爵位而使他尊贵。国君有难而不为之死，国君逃亡他不随之逃亡，这种说法有什么道理呢？”

晏子回答说：“臣子进言而被采用，国君就终生不会有灾难，臣子何必为他而死呢？出谋划策而被听从，国君就终生不会逃亡，臣子何必随他而去逃亡呢？如果进言而不能被采用，国君有了灾难时就为之而死，这是没有价值地死；出谋划策而不被听从，国君逃亡却随之逃亡，这是奸诈虚伪。因此所谓忠臣，就是能进献良言、善策于国君，而不让国君陷入灾难。”

景公问忠臣之行何如晏子对以不与君行邪

【原文】

景公问晏子曰：“忠臣之行何如？”

对曰：“不掩君过，谏乎前[①]，不华乎外；选贤进能，不私乎内；称身就位，计能受禄；睹贤不居其上，受禄不过其量；不权居[2]以为行，不称位以为忠；不掩贤以隐长，不刻下以谀上；君在不事太子，国危不交诸侯；顺[3]则进，否则退，不与君行邪也。”

【注释】

①前：当面。

②权居：这里指衡量官位高低。

③顺：这里指清明的世道。

【译文】

齐景公问晏子说：“忠臣的品行是什么样的？”

晏子回答说：“不遮掩国君的过错，当面向国君进谏，而不在外面美化粉饰；选用贤才，进用能人，而不偏私于亲近之人；衡量自身德行来出任合适的官职，根据自身才能来接受应得的俸禄；发现贤于自身之人不身居其上，接受俸禄不超过自己应得的数量；不以官位高低决定自己行事的原则，也不以官位高低决定自己忠诚的程度；不压制贤人遮蔽他们的长处，不苛待下属、不阿谀君上；国君在位时不侍奉太子，国家危难时不结交诸侯；清明之世就进身为官，世道昏乱就辞官隐退，不帮助国君行邪僻之事。”

景公问圣人之不得意何如晏子对以不与世陷乎邪

【原文】

景公问晏子曰：“圣人之不得意何如？”

晏子对曰：“上作事反天时，从政逆鬼神，藉敛殚百姓；四时易序，神祇[1]并怨；道忠者不听，荐善者不行；谀过者有赉[2]，救失者有罪。故圣人伏匿隐处，不干长上[3]，洁身守道，不与世陷乎邪，是以卑而不失义，瘁[4]而不失廉。此圣人之不得意也。”

公曰：“圣人之得意何如？”

对曰：“世治政平。举事调乎天，藉敛和乎民；百姓乐其政，远者怀其德；四时不失序，风雨不降虐；天明象而致赞，地长育而具物；神降福而不靡，民服教而不伪；治无怨[5]业，居无废民。此圣人之得意也。”

【注释】

①祇（qí）：地神。

②赉（lài）：赏赐。

③长（zhǎng）上：国君。

④瘁（cuì）：劳累。

⑤怨：烦乱。

【译文】

齐景公问晏子说：“圣人不得意时是怎样的？”

晏子回答说：“君上兴办事情违反天时节令，治理国家违背鬼神意志，征收赋税竭尽百姓财物；四季时令异样反常，天神地神都怨恨他；陈说忠言却不被听取，进献良策也不能施行；奉承过错的人有赏赐，挽救失误的人有罪。所以圣人藏身隐居，不向国君求取官职，洁身自好严守道义，不与世道一同陷于邪恶，因此地位卑微却不失道义，劳累困苦而不失廉洁。这就是圣人不得意的样子。”

景公问：“圣人得意时是怎样的？”

晏子回答说：“世道清明，政治平稳。兴办事情与天时节令调和，征收赋税与百姓利益一致；百姓喜欢这样的政治，远方的人向往他的德行；四时四季时令不异样、不反常，风调雨顺不降灾；上天显示吉兆而前来相助，大地生长化育，万物齐备；神灵降福源源不断，百姓服从教化而不虚伪；政治清平没有烦乱之事，百姓安居没有无用之人。这就是圣人得意的情形。”

景公问古者君民用国不危弱晏子对以文王

【原文】

景公问晏子曰：“古者君民而不危，用国而不弱，恶①乎失之？”

晏子对曰：“婴闻之，以邪莅国、以暴和民者危；修道以要②利、得求而返邪者弱。古者文王，修德不以要利，灭暴不以顺纣，干③崇侯之暴而礼梅伯之醢④，是以诸侯明乎其行，百姓通乎其德，故君民而不危，用国而不弱也。”

【注释】

①恶（wū）：何。

②要（yāo）：求，取。

③干：冒犯。

④醢（hǎi）：肉酱。

【译文】

齐景公问晏子说：“古代要做到统治百姓而没有危险，使用国力而不会贫弱，应该首先注重什么呢？”

晏子回答说：“我听说，以邪行统治国家，以残暴使百姓顺服的就会有危险；修明道德以求取利益，得到所求的利益后又重新变得邪僻的人就会衰败。古时周文王修治道德而不以道德求取利益，灭除残暴而不以残暴顺从纣王，冒犯崇侯虎的残暴，而礼待梅伯被剁成肉酱的事件，因此诸侯都明白他的品行，百姓都了解他的美德，所以他统治百姓而没有危险，使用国力而不会贫弱。”

景公问古之莅国者任人如何晏子对以人不同能

【原文】

景公问晏子曰：“古之莅国治民者，其任人何如？”

晏子对曰：“地不同生[①]，而任之以一种，责[②]其俱生不可得；人不同能，而任之以一事，不可责遍成。责焉无已，智者有不能给；求焉无餍[③]，天地有不能赡也。故明王之任人，谄谀不迩[④]乎左右，阿党不治乎本朝；任人之长，不强其短，任人之工，不强其拙。此任人之大略也。”

【注释】

①生：同“性”。

②责：求。

③餍（yàn）：满足。

④迩（ěr）：近。

【译文】

齐景公问晏子说：“古代那些善于统治国家治理人民的人，他们是怎样任用人才的？”

晏子回答说：“土地的性能不同，却都种植同一种东西，要求它们都能正常生长是不可能的；人的能力不同，却都委任他们做同一件事，也无法要求他们都能够成功。要求没有止境，再聪明的人也有不能满足的时候；求取永无满足，天地也有不能供应的时候。所以圣明之君任用人才，谄媚阿谀之人不能近他的左右，结党营私之人不能在他的朝廷任职；取人的长处任用，而不勉强他的短处，取人精通之处任用，而不勉强他的拙处。这就是任用人才的大致原则。”

景公问古者离散其民如何晏子对以今闻公令如寇雠

【原文】

景公问晏子曰：“古者离散其民而陨失[1]其国者，其常行何如？”

晏子对曰：“国贫而好大，智薄而好专；贵贱无亲焉，大臣无礼焉；尚[2]谗谀而贱贤人，乐简慢而玩百姓；国无常法，民无经纪；好辩以为智，刻民以为忠；流湎而忘国，好兵而忘民；肃[3]于罪诛，而慢于庆赏；乐人之哀，利人之难；德不足以怀人，政不足以惠民；赏不足以劝[4]善，刑不足以防非。此亡国之行也。今民闻公令如寇雠，此古之离散其民陨失其国者之常行也。”

【注释】

①陨失：丧失。

②尚：尊崇。

③肃：严厉。

④劝：激励。

【译文】

齐景公问晏子说：“古代那些使百姓流离失散并丧失自己国家的国君，他的一贯行为是怎样的？”

晏子回答说：“国家贫困却喜欢妄自尊大，智能平庸却独断专行；对人无论地位高低都不亲近，对大臣也不讲礼义；尊崇谗言阿谀之人而轻视贤能之人，逸乐简慢而轻慢百姓；国家没有常行不变的法律，百姓没有法纪纲常可循；以善于诡辩为智慧，以苛刻待民为忠诚；放纵无度而忘了国家，穷兵黩武忘了百姓；对治罪诛杀极为严厉，对庆功封赏却很是怠慢；将快乐建立在别人的痛苦之上，将私利建立在别人的苦难上；德行不能够使远方之人向往，政治不能够使百姓受到恩惠；奖赏不能够激励人们向善，刑罚不能够防范作恶。这些都是灭亡国家之举。如今百姓听到君上的命令就像遇到仇敌一样，这就是古代那些使百姓流离失散并丧失自己国家的国君的一贯行为。”

景公问得贤之道晏子对以举之以语考之以事

【原文】

景公问晏子曰：“取人得贤之道何如？”

晏子对曰：“举①之以语，考之以事，能谕②，则尚而亲之，近而勿辱③。以取人，则得贤之道也。是以明君居上，寡其官而多其行，拙于文而工于事，言不中不言，行不法不为也。”

【注释】

①举：选拔。

②谕：通晓。

③辱：无礼。

【译文】

齐景公问晏子说：“选取人才、得到贤人的办法是怎样的呢？”

晏子回答说：“通过言谈选拔他，通过办事考察他，能通晓事理，就尊重并亲近他，亲近他而不失礼。这样选取人才，就是获得贤人的方法。因此圣明的国君居于上位，少设置官位而多看重行为，不善于形式而精于职事，言论不符合礼法则不说，行为不符合法度则不做。”

景公问臣之报君何以晏子对以报以德

【原文】

景公问晏子曰：“臣之报君何以？”

晏子对曰：“臣虽不知[1]，必务[2]报君以德。士逢有道之君，则顺其令；逢无道之君，则争[3]其不义。故君者择臣而使之，臣虽贱，亦得择君而事之。”

【注释】

①知（zhì）：同“智”，明智。

②务：努力。

③争（zhèng）：同“诤”，劝谏。

【译文】

齐景公问晏子说：“臣子用什么来报答国君呢？”

晏子回答说：“臣子虽然不明智，也一定会努力以德来报答国君。士人遇到有道之君，就听从他的号令；遇到无道之君，就劝谏他的不义之处。所以国君要选择臣子来任用，臣子虽微贱，也可以选择国君主来侍奉。”

景公问临国莅民所患何也晏子对以患者三

【原文】

景公问晏子曰：“临国莅民，所患何也？”

晏子对曰："所患者三：忠臣不信，一患也；信臣不忠，二患也；君臣异心，三患也。是以明君居上，无忠而不信，无信而不忠者。是以君臣同欲①，而百姓无怨也。"

【注释】

①欲：心愿。

【译文】

齐景公问晏子说："治理国家统治百姓，所担心的是什么？"

晏子回答说："所担心的情况有三种：忠诚的臣子不被信任，这是担心的第一种情况；被信任的臣子不忠诚，这是担心的第二种情况；君臣不同心，这是担心的第三种情况。因此贤明的国君居于上位，没有身为忠臣不被信任的，没有被信任而不是忠臣的。因此君臣同心，而百姓没有怨言。"

景公问为政何患晏子对以善恶不分

【原文】

景公问于晏子曰："为政何患？"

晏子对曰："患善恶之不分。"

公曰："何以察之？"

对曰："审择左右。左右善，则百僚①各得其所宜，而善恶分。"

孔子闻之曰："此言也信矣！善进②，则不善无由入矣；不善进，则善无由入矣。"

【注释】

①僚：官吏。

②进：入朝为官。

【译文】

齐景公问晏子说：“治理国家最担心什么？”

晏子回答说：“担心善恶不分。”

景公问：“用什么方法能辨别善恶呢？”

晏子回答说：“审慎地选用左右亲近之人。左右亲近之人善，那么所有的官吏就都能得到他们适宜的位置，从而善恶就分清了。”

孔子听到了这句话后说：“这话说得很正确啊！善人入朝为官，那么不善之人就无从进身了；不善之人入朝为官，那么善人就无从进身了。”

内篇问下第四

景公问桓公何以致霸晏子对以下贤以身

【原文】

景公问于晏子曰："昔吾先君桓公，善饮酒，穷乐，食味方丈，好色无别①。辟若此，何以能率诸侯以朝天子乎？"

晏子对曰："昔吾先君桓公，变俗以政，下贤以身。管仲，君之贼也，知其能足以安国济功，故迎之于鲁郊，自御，礼之于庙。异日，君过于康庄②，闻宁戚③歌，止车而听之，则贤人之风也，举以为大田④。先君见贤不留⑤，使能不怠，是以内政则民怀⑥之，征伐则诸侯畏之。今君闻先君之过，而不能明其大节。桓公之霸也，君奚疑焉？"

【注释】

①好色无别：这里指齐桓公与未出嫁的姑姊妹乱伦的事。

②康庄：四通八达的大道。

③宁戚：春秋时卫国人，被齐桓公拜为大夫。

④大田：官名，田官之长。

⑤留：埋没。

⑥怀：感念。

【译文】

齐景公问晏子说："从前我们的先君桓公，嗜好饮酒，极尽欢乐，饮食奢侈浪费，好女色不分亲疏。他的行为如此邪僻，为什么还能率领诸侯朝拜天子呢？”

晏子回答说：“从前我们的先君桓公，能以政教改变民间的陋习，亲身礼贤下士。管仲，本来是曾经害过桓公的人，但桓公知道他的才能足以安定国家、成就功业，就到鲁国边境去迎接他，亲自驾车，在庙堂中对他以礼相待。又有一天，桓公经过四通八达的大道，听到了宁戚的歌声，便停下车子仔细聆听，发现大有贤人的风范，于是任命他担任大田之职。先君见了贤人不埋没，任用能人不怠慢，所以治理内政而百姓感念他，对外征讨而诸侯畏惧他。如今君上只听说先君的过失，而不能明了他的大节。对于桓公的霸业，君上还有什么可怀疑的吗？”

景公欲逮桓公之后晏子对以任非其人

【原文】

景公问晏子曰：“昔吾先君桓公，从车三百乘，九①合诸侯，一匡天下。今吾从车千乘，可以逮先君桓公之后乎？”

晏子对曰：“桓公从车三百乘，九合诸侯，一匡天下者，左有鲍叔，右有仲父。今君左为倡②，右为优③，谗人在前，谀人在后，又焉可逮桓公之后者乎？”

【注释】

①九：泛指多次。

②倡（chāng）：古代以歌舞供人取乐的艺人。

③优：古代以戏谑表演供人取乐的艺人。

【译文】

齐景公问晏子说：“从前我们的先君桓公，统领兵车三百乘，多次会盟诸侯，使天下混乱局面匡正于一体。现在我统领兵车有一千乘，可以追上桓公在其后再次称霸吗？”

晏子回答说：“桓公之所以统领兵车三百乘，多次会盟诸侯，使天下混乱局面匡正于一体，原因在于他左有鲍叔牙，右有仲父。如今君上左有歌伎，右有戏子，进谗之人在跟前，阿谀之人在身后，又怎么能赶上桓公在其后称霸呢？”

景公问廉政而长久晏子对以其行水也

【原文】

景公问晏子曰：“廉政而长久，其行何也？”

晏子对曰：“其行水也。美哉水乎清清！其浊无不雩途①，其清无不洒除②，是以长久也。”

公曰：“廉政而遬亡，其行何也？”

对曰：“其行石也。坚哉石乎落落③！视之则坚，循④之则坚，内外皆坚，无以为久，是以遬亡也。”

【注释】

①雩途：通“污涂”，污染涂抹。

②洒除：洗涤。

③落落：形容石头很坚硬。

④循：抚摩。

【译文】

齐景公问晏子说：“廉洁正直而能保持长久的人，他的品行是什么样的？”

晏子回答说：“他的品行像水一样。多美好啊清清的流水！它浑浊时没有什么不能被它污染涂抹，它清澈时没有什么不能被它洗涤干净，因此可以保持长久。”

景公说：“廉洁正直而快速招来亡身之祸的人，他的品行是怎样的？”

晏子回答说：“他的品行像石头一样。硬邦邦的啊坚硬的石头。看它是坚硬的，抚摩它也是坚硬的，里里外外都那么坚硬，没有什么能用来维持长久的东西。因此会迅速招致灭亡。”

景公问为臣之道晏子对以九节

【原文】

景公问晏子曰：“请问为臣之道。”

晏子对曰：“见善必通①，不私其利；荐善而不有其名；称身居位，不为苟②进；称事受禄，不为苟得；体贵侧贱，不逆其伦；居贤不肖，不乱其序；肥利之地，不为私邑；贤质之士，不为私臣；君用其所言，民得其所利，而不伐③其功。此臣之道也。”

【注释】

①通：推广通行。

②苟：苟且。

③伐：夸耀。

【译文】

齐景公问晏子说：“请问做臣子的基本道理。”

晏子回答说：“见到好的事物就一定要推广通行，不独享它的好处；推举贤人而不自专贤人之名；衡量自身能力以居于合适的位置，不做苟且进身之事；衡量事业成就以接受合理的俸禄，不做苟且求取之事；无论身份高贵卑贱，不违背伦常；地位有高有低，不淆乱次序；对于肥沃而利润丰厚的土地，不占为私人领地；才德兼备而又质朴的人，不收为私人的臣仆；国君采用他的建议，百姓得到他的好处，他却不夸耀自己的功劳。这就是做臣子的基本道理。”

景公问贤不肖可学乎晏子对以强勉为上

【原文】

景公问晏子曰：“人性有贤不肖，可学乎？”

晏子对曰：“《诗》云：‘高山仰之，景行行之。’之[①]者其人[②]也。故诸侯并立，善而不怠者为长；列士并学，终善者为师。”

【注释】

①之：往。

②其人：这里指向往高尚品德、坚持走正道的人。

【译文】

齐景公问晏子说：“人性有好的与不好的，可以学来吗？”

晏子回答说：“《诗经》上说：‘高山令人仰望，大道引人前走。’前往的是那些高尚品德、坚持走正道的人。所以诸侯并立，德行良好而不懈怠的人就成为首领；众多士人一同学习，善始善终的人就成为老师。”

景公问国如何则谓安晏子对以内安政外归义

【原文】

景公问晏子曰：“国如何则可谓安矣？”

晏子对曰："下无讳言，官无怨治；通人[1]不华，穷民不怨；喜乐无羡[2]赏，忿怒无羡刑；上有礼于士，下有恩于民；地博不兼小，兵强不劫弱；百姓内安其政，外归其义。可谓安矣。"

【注释】

①通人：这里指显达的人。

②羡：多余。

【译文】

齐景公问晏子说："国家要怎样才能叫作安定？"

晏子回答说："百姓没有隐讳不说的话，官吏没有纠结的政事；显达之人不奢华，困窘之人无哀怨；国君不因一时高兴而给予多余的奖赏，也不因一时的愤怒而滥施刑罚；上对士人有礼，下对百姓有恩；土地广博却不兼并小国，军队强大却不侵夺弱国；国内的百姓安定于这个国家的政治，别国的百姓也归服于这个国家的仁义。这就可以称为安定了。"

景公问诸侯孰危晏子对以莒其先亡

【原文】

景公问晏子曰："当今之时，诸侯孰危？"

晏子对曰："莒[1]其先亡乎！"

公曰："何故？"

对曰："地侵于齐，货竭于晋，是以亡也。"

【注释】

①莒（jǔ）：春秋时期诸侯国，在今山东省莒县一带。

【译文】

齐景公问晏子说："现在这个时代，哪个诸侯有亡国之危？"

晏子回答说："大概是莒国最先灭亡吧！"

景公说："什么原因呢？"

晏子回答说："它的国土被齐国侵占，财物被晋国掠尽，因此亡国。"

吴王问保威强不失之道晏子对以先民后身

【原文】

晏子聘于吴，吴王曰："敢问长保威强勿失之道若何？"

晏子对曰："先民而后身，先施而后诛；强不暴弱，贵不凌贱，富不傲贫；百姓①并进，有司②不侵，民和政平；不以威强退人之君，不以众强兼人之地。其用法，为时禁暴，故世不逆其志；其用兵，为众屏③患，故民不疾其劳④。此长保威强勿失之道也，失此者危矣！"

吴王忿然作色，不说。晏子曰："寡君之事毕矣，婴无斧锧⑤之罪，请辞而行。"遂不复见。

【注释】

①百姓：这里指各氏各族。

②有司：主管某一事务的部门或官吏。

③屏（bǐng）：摒除。

④劳：兵役，徭役。

⑤斧锧（zhì）：古代处死犯人的刑具。

【译文】

晏子出访吴国，吴王问："我冒昧请教怎样做国家才能长期保有威武强大而不衰败呢？"

晏子回答说："百姓利益在先而顾及自身在后，施与恩惠在先而责罚过失在后；强者不侵凌弱者，尊贵的不欺凌贫贱的，富裕的不蔑视穷困的；各氏各族共同发展兴旺，官吏不侵扰百姓，百姓和乐政治清平；不凭恃威武强大压制他国之君，不凭人多势众兼并他人领地。国君使用刑法，是为社会禁除暴虐之事，所以世人不会违背他的意志；国家对外用兵，是为众人摒除灾患，所以百姓不会痛恨这样的徭役。这就是国家能长期保有威武强大而不衰败的办法，失掉这些就危险了！"

吴王愤然变了脸色，很不高兴。晏子说："鄙国国君交代的事情我完成了，我总算没犯下什么死罪，请让我就此告辞而去吧。"于是再也不与吴王见面。

晏子使鲁鲁君问何事回曲之君晏子对以庇族

【原文】

晏子使鲁，见昭公，昭公说曰："天下以子大夫[①]语[②]寡人者众矣，今得见而羡乎所闻，请私而无为罪。寡人闻大国之君[③]，盖回曲之君也，曷为以子大夫之行，事回曲之君乎？"

晏子逡循[④]对曰："婴不肖[⑤]，婴之族又不若婴，待婴而祀先者五百家，故婴不敢择君。"

晏子出，昭公语人曰："晏子，仁人也。反亡君，安危国，而不私利焉；僇崔杼之尸，灭贼乱之徒，不获名焉；使齐外无诸侯之忧，内无国家之患，不伐功焉；锲然[⑥]不满，退托于族。晏子可谓仁人矣。"

【注释】

①子大夫：对大夫的尊称。

②语（yù）：对人说。

③大国之君：这里指齐国国君。

④逡（qūn）循：这里形容晏子说话有所保留的谦恭态度。

⑤不肖：不贤。

⑥锟（chěn）然：不自满的模样。

【译文】

晏子出使鲁国，拜见了鲁昭公，昭公高兴地说："天下有很多人把大夫您的事迹告诉寡人，今日得以见面更觉得情况超出了寡人所听到的，寡人想私下里向大夫您请教个问题，请您不要怪罪我。寡人听说贵国的国君，是个邪僻不正之君，为什么以大夫您的德行，要去侍奉这种邪僻不正之君呢？"

晏子恭顺谨慎地回答说："我不贤，我的族人又不如我，仰仗我维系祭祀祖先的有五百家，所以我不敢选择国君。"

晏子离去，昭公对人说："晏子，真是个仁德之人。破除为亡君而死的俗礼，使危亡的国家安定，却不谋求个人的利益；把崔杼陈尸示众，消灭作恶为乱之人，不猎取虚名；使齐国在外没有被诸侯侵扰的忧虑，在内没有国家的祸患，却不夸耀自己的功劳；他毫不自满，谦虚地将这一切归因于只是为了家族。晏子真可以称得上是仁德之人啊。"

鲁昭公问安国众民晏子对以事大养小谨听节敛

【原文】

晏子聘于鲁，鲁昭公问曰："子大夫俨然[①]辱临敝邑，窃甚嘉[②]之，寡人受贶[③]，请问安国众民如何？”

晏子对曰：“婴闻傲大贱小则国危，慢听厚敛则民散。事大养小，安国之器[④]也；谨听节敛，众民之术也。”

【注释】

①俨（yǎn）然：庄重的样子。

②嘉：这里表示荣幸的意思。

③贶（kuàng）：赐。

④器：手段。

【译文】

晏子出访鲁国，鲁昭公问道：“大夫您庄重地屈尊莅临鄙国，寡人私下甚感荣幸，寡人敬受恩赐，请问要使国家安定而百姓众多该怎么做呢？”

晏子回答说：“我听说对大国傲慢对小国蔑视，国家就危险了，疏慢于治理而加重赋税，百姓就会离散。尊奉大国帮助小国，是安定国家的方法；勤于治理减少赋税，是使百姓众多的方法。”

晋平公问齐君德行高下晏子对以小善

【原文】

晏子使于晋，晋平公问曰：“吾子[①]之君，德行高下如何？”晏子对以“小善”。

公曰：“否，吾非问小善，问子之君德行高下也。”

晏子蹴然[②]曰：“诸侯之交，绍而相见[③]，辞之有所隐也。君之命质，臣无所隐，婴之君无称焉。”

平公蹴然而辞送，再拜而反曰：“殆哉吾过！谁曰齐君不肖！直称之士，正在本朝也。”

【注释】

①吾子：对对方的尊称。

②蹴（cù）然：局促不安的样子。

③绍而相见：通过介绍而相见。

【译文】

晏子出使晋国，晋平公问道：“大夫您的国君，品德行为高尚还是低劣？”晏子以“小有善行”回答。

平公说：“不，我不是问小的善行，而是问大夫您的国君品德行为高尚还是低劣？”

晏子恭敬地回答说：“诸侯之间相互交往，通过介绍而相见，所以言辞都有所避忌。现在君上问得这么质朴坦率，小臣也没什么可隐瞒了，小臣的国君没有什么可以称道的。”

平公不安地同晏子辞别送行，拜了两拜后回来说：“危险啊！我的过错看来也要被人指出了！谁说齐君不贤！敢于直言举过之人，就在他自己的朝堂上啊。”

叔向问齐德衰子若何晏子对以进不失忠退不失行

【原文】

叔向问晏子曰：“齐国之德衰矣，今子何若？”

晏子对曰：“婴闻事明君者，竭心力以没其身，行不逮则退，不以诬持禄；事惰君者，优游[1]其身以没其世，力不能则去，不以谀持危。且婴闻君子之事君也，进不失忠，退不失行。不苟合以隐忠，可谓不失忠；不持利以伤廉，可谓不失行。”

叔向曰：“善哉！《诗》有之曰：‘进退维谷。’其此之谓欤！”

【注释】

①优游：这里指独善其身。

【译文】

叔向问晏子说："齐国的德行已经衰败了，现在您准备怎么办？"

晏子回答说："我听说侍奉圣明之君的人，竭尽心力直到身死，做事达不到理想的效果就引退，不以虚假欺骗保持禄位；侍奉昏庸之君的人，独善其身直到身死，力不胜任就离去，不以阿谀维持危险地位。况且我听说君子侍奉国君，进身不失忠诚，引退不失德行。不苟且迎合国君来隐蔽自己的忠诚，可称为不失忠诚；不为了保全私利而妨碍廉洁的品德，可称为不失德行。"

叔向说："说得好啊！《诗经》中有句话说'进退两难'，大概说的就是这个吧！"

叔向问处乱世其行正曲晏子对以民为本

【原文】

叔向问晏子曰："世乱不遵道，上辟[①]不用义。正行则民遗，曲行则道废。正行而遗民乎？与持民而遗道乎？此二者之于行，何如？"

晏子对曰："婴闻之，卑而不失尊，曲而不失正者，以民为本也。苟持民矣，安有遗道？苟遗民矣，安有正行焉？"

【注释】

①辟：邪僻。

【译文】

叔向问晏子说：“世道昏乱不遵循道义，国君邪僻不施行仁义。如果行为正直百姓就要被抛弃；如果行为邪僻，道义就要被抛弃。是行为正直而抛弃百姓呢？还是保住百姓而抛弃道义呢？在这两者之间，该如何选择自己的行为呢？”

晏子回答说：“我听说，地位卑微而不失去尊贵的德行，委曲求全而不失于正直的品格，这就在于以民为本。如果保住了百姓，怎么会抛弃道义？如果抛弃了百姓，怎么能有正直的行为呢？”

叔向问意孰为高行孰为厚晏子对以爱民乐民

【原文】

叔向问晏子曰：“意孰为高？行孰为厚？”

对曰：“意莫高于爱民，行莫厚于乐民。”

又问曰：“意孰为下？行孰为贱？”

对曰：“意莫下于刻民，行莫贱于害身①也。”

【注释】

①害身：因苛刻待民，最终害及自身。

【译文】

叔向问晏子说：“思想哪一种最高尚，行为哪一种最淳厚？”

晏子回答说：“思想最高尚的是爱护百姓，行为最淳厚的是使百姓安乐。”

叔向又问道：“思想哪一种最卑下，行为哪一种最低贱？”

晏子回答说：“思想最卑下的是苛刻待民，行为最低贱的是作恶多端最终害及自身。”

叔向问君子之大义何若晏子对以尊贤退不肖

【原文】

叔向问晏子曰："君子之大义何若？"

晏子对曰："君子之大义，和调而不缘①，溪盎而不苛，庄敬而不狡②，和柔而不铨③，刻廉而不刿④，行精而不以明污，齐尚而不以遗罢，富贵不傲物，贫穷不易行，尊贤而不退不肖。此君子之大义也。"

【注释】

①缘：循，顺。

②狡：急。

③铨：卑屈。

④刿（guì）：伤。

【译文】

叔向问晏子说："君子的大义是怎样的？"

晏子回答说："君子的大义应当是，与人和睦但不盲目顺从，宽宏大量而不苛刻，庄严敬穆而不急躁，宽和柔顺而不卑屈，严正端方而不伤人，品行洁净而不以此显明他人的污迹，崇尚平等尚不遗弃疲弱无能之人，富贵之时对人不高傲，贫穷之时不改变品行，尊敬贤人而不排斥不贤之人。这就是君子的大义。"

叔向问人何若则荣晏子对以事君亲忠孝

【原文】

叔向问晏子曰："何若则可谓荣矣？"

晏子对曰："事亲孝，无悔往行；事君忠，无悔往辞。和于兄弟，信于朋友。不谄过[①]，不责得。言不相坐[②]，行不相反。在上治民，足以尊君；在下莅修，足以变人。身无所咎[③]，行无所创。可谓荣矣。"

【注释】

①谄（tāo）过：隐瞒过失。

②坐：这里指矛盾。

③咎：罪责。

【译文】

叔向问晏子说："人要怎样才能称作荣耀呢？"

晏子回答说："侍奉双亲很孝顺，对以往的行为没有可悔恨的；侍奉国君很忠诚，对以往的言辞没有可悔恨的。与兄弟和睦，对朋友诚信。不隐瞒过失，不贪求所得。说话不自相矛盾，行为不前后相反。在高位治理百姓，足以尊奉国君；在下位监管教化，足以转变他人。为人无可指责，行为没有缺失。这样就可称作荣耀了。"

叔向问人何以则可保身晏子对以不要幸

【原文】

叔向问晏子曰："人何以则可谓保其身？"

晏子对曰："《诗》曰：'既明且哲，以保其身；夙夜匪懈，以事一人。'不庶几[①]，不要幸[②]，先其难乎而后幸得之，得之时[③]其所也，失之非其罪也，可谓保其身矣。"

【注释】

①庶几：这里指非分之想。

②要（yāo）幸：侥幸。

③时：通“是”。

【译文】

叔向问晏子说：“人怎么样才能称作保全自身？”

晏子回答说：“《诗经》上说：‘既明白事理又洞察世事，以此来保全自身；早晚都不要懈怠，以此侍奉天子。’不要有非分之想，不要存侥幸之念，开始比较艰难然后福运来到，能得到的就是该得到的，就算失去也不是他的过错，这样就可以称作保全自身了。”

梁丘据问子事三君不同心晏子对以一心可以事百君

【原文】

梁丘据问晏子曰：“子事三君，君不同心，而子俱顺焉，仁人固多心乎？”

晏子对曰：“婴闻之，顺爱不懈，可以使百姓，强暴不忠，不可以使一人。一心可以事百君，三心不可以事一君。”

仲尼闻之曰：“小子[①]识[②]之，晏子以一心事百君者也！”

【注释】

①小子：孔子对弟子的称呼。

②识（zhì）：记住。

【译文】

梁丘据问晏子说：“先生侍奉过三位国君，国君们的心志各不相同，而先生全都能顺应他们，仁人之心本来就多吗？”

晏子回答说：“我听说，温顺仁爱不懈怠，就能够役使百家千族；强横暴虐不忠诚，连一个人也无法役使。一心一意，百位国君也可以侍奉；三心二意，一位国君也侍奉不了。”

孔子听说了这件事后说：“弟子们记住了，晏子是用一种忠心来侍奉百位国君的。”

柏常骞问道无灭身无废晏子对以养世君子

【原文】

柏常骞去周①之齐，见晏子曰：“骞，周室之贱史也，不量其不肖，愿事君子。敢问正道直行则不容于世，隐道②危行则不忍。道亦无灭，身亦无废者，何若？”

晏子对曰：“善哉！问事君乎？婴闻之，执一浩倨③，则不取也；轻进苟合，则不信也；直易无讳，则速伤也；新始④好利，则无不敝也。且婴闻养世之君子，从轻不为进，从重不为退，省⑤行而不伐，让利而不夸，陈物而勿专，见象而勿强，道不灭，身不废矣。”

【注释】

①周：这里指东周都城洛邑（今河南洛阳）。

②隐道：不顾正道。

③浩倨：傲慢。

④新始：追求时尚。

⑤省（xǐng）：反省。

【译文】

柏常骞离开周都来到齐国，见到晏子说：“我是周王室中一个微贱的史官，没掂量自己的不贤，希望能侍奉先生。斗胆请教先生，如果遵循正道品行正直就为世道所不容，如果不顾正品行诡诈又会会良心不安。既不丧失正道，自身又不被黜免的人，是怎么样的？”

晏子回答说：“问得好啊！先生问的是侍奉国君的道理吧？我听说，固执不化傲慢清高，则不被人所接受；轻易进身苟且附和，则不被人所信任；耿直草率无所顾忌，则容易受到伤害；追求时尚爱好利益，则没有不失败的。而且我还听说造福社会的君子，不因轻松容易就上进，不因困苦劳累就隐退，反省品行而不自夸，推让好处而不标榜，摆明事情始末而不专断，见到上天显示的征象便不勉强行事。这样就能既不丧失正道，自身也不会被黜免。”

内篇杂上第五

庄公不说晏子晏子坐地讼公而归

【原文】

晏子臣于庄公，公不说，饮酒，令召晏子。

晏子至，入门，公令乐人奏，歌曰："已哉已哉！寡人不能说也，尔何来为？"

晏子入坐，乐人三奏，然后知其谓己也。遂起，北面坐地。公曰："夫子从席，曷为坐地？"

晏子对曰："婴闻讼夫坐地，今婴将与君讼，敢毋坐地乎？婴闻之，众而无义、强而无礼、好勇而恶贤者，祸必及其身，若公者之谓矣。且婴言不用，愿请身①去。"遂趋而归，管籥其家者②纳之公，财在外者斥③之市。曰："君子有力于民，则进爵禄，不辞富贵；无力于民而旅食，不恶贫贱。"遂徒行而东，耕于海滨。居数年，果有崔杼之难。

【注释】

①请身：这里指辞官。

②管籥（yuè）其家者：这里指家中仓库里的钱财。

③斥：遣散。

【译文】

晏子在齐庄公朝为臣，庄公不喜欢他，喝酒时，令人召来晏子。

晏子到来，进入大门，庄公命令乐工演奏，同时唱着歌道：“算了吧！算了吧！寡人不喜欢你，你还来做什么呢？”

晏子入席，乐工又奏了三遍乐，晏子这才知道歌中所唱指的是自己。于是站起身，脸向着北面坐在地上。庄公说：“先生陪寡人一同坐在席间，为什么坐到地上？”

晏子回答说：“我听说争辩的人就是坐在地上，现在我将要同君上争辩，敢不坐在地上吗？我听说，人多而不讲道义、强壮而不讲礼仪、喜好勇力而厌恶贤人的人，灾祸一定会降临到他的身上，这好像说的就是您。况且我的善言不被采用，希望让我辞官离去。”于是奔跑回家，把家中仓库里的全都交给庄公，外面的财产都遣散到集市上卖掉了。并且说：“君子能为民出力就可以加官晋爵，不必推辞富贵；不能为民出力就应该与庶民同食，不可厌弃贫贱。”于是晏子徒步向东走，在海滨耕作。过了几年，果然发生了崔杼杀庄公的祸乱。

景公恶故人晏子退国乱复召晏子

【原文】

景公与晏子立于曲潢[①]之上，晏子称曰：“衣莫若新，人莫若故。”公曰：“衣之新也，信善矣；人之故，相知情。”晏子归，负载，使人辞于公曰：“婴故老耄[②]无能也，请毋服壮者之事。”

公自治国，身弱于高、国[③]，百姓大乱。公恐，复召晏子。诸侯忌其威，而高、国服其政。田畴垦辟，蚕桑豢牧之处不足，丝蚕于燕，牧马于鲁，共贡入朝。

墨子闻之曰：“晏子知道，景公知穷矣。”

【注释】

①曲潢（huáng）：水池名，形状曲折。

②耄（mào）：这里指老。

③高、国：高氏和国氏，齐国两个家族，世代为齐国公卿。

【译文】

齐景公和晏子站在曲池之上，晏子援引了一则古谚："衣服不如新的好，人不如故旧好。"景公说："衣服是新的，确实好；人要是故交，相互就太了解了。"晏子回到家中，装好行李，派人向景公辞行说："我已经老迈无能了，请君上不要再让我从事壮年人应做的事了。"

景公亲自治理国家，自身权力被高氏、国氏所削弱，百姓十分混乱。景公害怕了，又召回晏子。各国诸侯忌惮晏子的威势，高氏、国氏也服从他治理政事。田野得到开垦，养蚕种桑喂养牲畜放牧牛羊的地方不够用，就借燕国之地养蚕织丝，借鲁国之地放牧牛马，这两国一同向齐国进贡朝拜。

墨子听了这件事说："晏子懂得治理国家的方法，景公体会到了困境。"

齐饥晏子因路寝之役以振民

【原文】

景公之时饥，晏子请为民发粟，公不许。当为路寝之台，晏子令吏重其赁[①]，远其兆，徐其日而不趣。三年，台成而民振，故上说乎游，民足乎食。

君子曰："政[②]则晏子欲发粟与民而已，若使不可得，则依物[③]而偶于政。"

【注释】

①赁：雇佣。

②政：这里指本意。

③物：事。

【译文】

齐景公当政时遭遇饥荒。晏子请求给百姓发放粮食，景公不同意。恰逢修筑路寝之台，晏子命令官吏提高雇佣工匠的工钱，让工匠住得离建台工地远些，延缓工期而不加以催促。三年后，台子筑成而百姓也得到振济，所以国君游玩得高兴，百姓也有了充足的粮食。

君子说："晏子的本意只想发放给百姓粮食罢了，如果不能实现，就借助其他事物而使它合乎本意。"

景公欲堕东门之堤晏子谓不可变古

【原文】

景公登东门防[①]，民单服然后上，公曰："此大伤牛马蹄矣，夫何不下六尺哉？"

晏子对曰："昔者吾先君桓公，明君也，而管仲，贤相也。夫以贤相佐明君，而东门防全也。古者不为，殆有为也。蚤岁，淄[②]水至，入广门，即下六尺耳，乡[③]者防下六尺，则无齐矣。夫古之重变古常，此之谓也。"

【注释】

①防：防洪堤。

②淄（zī）：河水名，即今山东境内的淄河。

③乡（xiàng）：通“向”，先前。

【译文】

齐景公登山东门外的防洪堤，百姓都得匍匐爬行才能上去，景公说：“这太伤牛马的蹄子了，为什么不把防洪堤降低六尺呢？”

晏子回答说：“从前我们的先君桓公是个英明的国君，而管仲是个贤能的相国。有贤能的相国辅佐英明的国君，可是这个东门的防洪堤也完好无改。先人不降低堤坝的高度，恐怕是有原因的。早些年，淄水涌来，进入广门，水位就在堤顶之下六尺的地方，先前如果把防洪堤降低六尺，就没有今天的齐都了。先人不轻易改变古法常理，说的就是这个道理。”

景公怜饥者晏子称治国之本以长其意

【原文】

景公游于寿宫①，睹长年负薪者，而有饥色。公悲之，喟然叹曰：“令吏养之！”

晏子曰：“臣闻之，乐贤而哀不肖，守国之本也。今君爱老，而恩无所不逮，治国之本也。”公笑，有喜色。

晏子曰：“圣王见贤以乐贤，见不肖以哀不肖。今请求老弱之不养、鳏寡之无室者，论而共②秩焉。”公曰：“诺。”于是老弱有养，鳏寡有室。

【注释】

①寿宫：齐国宫殿名。

②共（gōng）：通“供”，供给。

【译文】

齐景公到寿宫游玩，看见背柴草的老者，面有饥色。景公为之悲伤，长叹一声，说："让官吏供养他。"

晏子说："我听说，喜爱贤者而哀怜弱者，是保护国家的根本。如今君上怜惜老者，君上的恩德就能无处不到，这是治理国家的根本。"景公笑了，面有喜色。

晏子说："圣明的国君看见贤者就喜欢贤者，看见弱者就为之哀怜。现在我请君上寻求那些老弱而得不到供养、孤寡而没有家室的人，按照他们的贫困程度供给他们俸禄。"景公说："好。"于是老弱之人有了供养，鳏寡之人有了家室。

景公探雀鷇鷇弱反之晏子称长幼以贺

【原文】

景公探雀鷇，鷇弱，反之。晏子闻之，不时而入见，公汗出惕然①。晏子曰："君何为者也？"公曰："吾探雀鷇，鷇弱，故反之。"晏子逡巡②，北面再拜而贺曰："吾君有圣王之道矣！"公曰："寡人探雀鷇，鷇弱，故反之，其当圣王之道者何也？"晏子对曰："君探雀鷇，鷇弱，反之，是长幼也。吾君仁爱，曾③禽兽之加焉，而况于人乎！此圣王之道也。"

【注释】

①惕然：畏惧的样子。

②逡（qūn）巡：往后退却。

③曾：竟然。

【译文】

齐景公掏小雀，见雀太小，就将它放回窝里。晏子听说了这件事，没等上朝时间就进宫见景公，景公不禁冒出虚汗，显出畏惧的样子。晏子说："君上做什么事了？"景公说："我掏小雀，见雀太小，所以就将它放回窝里。"晏子往后退却几步，向着北面拜了两拜称贺说："我的君上有圣王之道啊。"景公说："我掏小雀，见雀太小，就将它放回窝里，这怎么就符合圣王之道了？"晏子回答说："君上掏小雀，见雀太小，就将它放回窝里，这就是长幼之道啊。我的国君有仁爱之心，施及禽兽，何况对人呢！这就是圣王之道。"

景公夜从晏子饮晏子称不敢与

【原文】

景公饮酒，夜移于晏子，前驱款[①]门曰："君至！"晏子被玄端，立于门曰："诸侯得微[②]有故乎？国家得微有事乎？君何为非时而夜辱？"公曰："酒醴[③]之味、金石之声，愿与夫子乐之。"晏子对曰："夫布荐席、陈簠簋[④]者，有人，臣不敢与焉。"公曰："移于司马穰苴之家。"

前驱款门，曰："君至！"穰苴介胄操戟，立于门曰："诸侯得微有兵乎？大臣得微有叛者乎？君何为非时而夜辱？"公曰："酒醴之味、金石之声，愿与夫子乐之。"穰苴对曰："夫布荐席，陈簠簋者，有人，臣不敢与焉。"公曰："移于梁丘据之家。"

前驱款门，曰："君至！"梁丘据左操瑟，右挈竽，行歌而出。公曰："乐哉！今夕吾饮也。微此二子者，何以治吾国？微此一臣者，何以乐吾身？"

君子曰："圣贤之君，皆有益友，无偷[⑤]乐之臣。景公弗能及，故两用之，仅得不亡。"

【注释】

①款：敲。

②得微：莫非。

③醴（lǐ）：甜酒。

④簠簋（fǔ guǐ）：古代两种盛食物的器具。

⑤偷：随便，不检点。

【译文】

齐景公饮酒，夜半改到晏子家，前面开路的人敲门说："君上来了！"晏子穿上礼服，站在门前说："莫非诸侯有什么变故吗？莫非国家出了什么大事吗？君上为何在不正常的时间深夜屈尊驾临？"景公说："有美味的甜酒、美妙的音乐，寡人希望和先生共同享受。"晏子回答说："那种铺设筵席、摆放食具的事，自有其人，下臣不敢陪从。"景公说："那就改到司马穰苴家。"

前面开路的人敲门说："君上来了。"穰苴披甲戴盔拿着戟站在门口说："莫非诸侯发动战争了吗？莫非大臣有反叛行为了吗？君上为何在不正常的时间深夜屈尊驾临？"景公说："有美味的甜酒、美妙的音乐，寡人希望和先生共同享受。"穰苴回答说："那种铺设筵席、摆放食具的事，自有其人，下臣不敢陪从。"景公说："那就改到梁丘据家去。"

前面开路的人敲门说："君上来了。"梁丘据左手拿着瑟，右手拿着竽，边走边唱地迎出来。景公说："今晚我饮酒真是太高兴了。要是没有那两位先生，用什么来治理我的国家？要是没有这一个臣子，用什么来使我愉悦？"

君子说："圣明贤德的国君，都有益友，没有随便享乐的臣子。景公不能达到这个境界，所以两者皆用，仅能不亡国。"

景公使进食与裘晏子对以社稷臣

【原文】

晏子侍于景公，朝寒，公曰："请进暖食。"晏子对曰："婴非君奉馈[1]之臣也，敢辞。"公曰："请进服裘。"对曰："婴非君茵[2]席之臣也，敢辞。"

公曰："然夫子之于寡人何为者也？"对曰："婴，社稷之臣也。"公曰："何谓社稷之臣？"对曰："夫社稷之臣，能立社稷，别上下之义，使当其理；制百官之序，使得其宜；作为辞令，可分布于四方。"

自是之后，君不以礼不见晏子。

【注释】

①馈（kuì）：进食于人。

②茵：褥、毯一类物品的通称。

【译文】

晏子陪侍齐景公，早晨寒冷，景公说："请拿些热饭来。"晏子回答说："我不是为君上进献食物的侍臣，恕不能从命。"景公说："请拿件裘衣来。"晏子回答说："我不是为君上铺褥设垫的侍臣，恕不能从命。"

景公说："那先生对寡人来说是什么人呢？"晏子回答说："晏婴我，是国家之臣。"景公说："什么是国家之臣？"晏子回答说："所谓国家之臣，能够稳固国家，分清君臣上下的礼仪，使之各自符合道理；制定百官等级次序的规范，使之各得其用；创制外交辞令，使之可以传布到四方各国。"

从此以后，景公不符合礼，就不召见晏子。

晏子饮景公酒公呼具火晏子称诗以辞

【原文】

晏子饮景公酒，日暮，公呼具火，晏子辞曰："《诗》云'侧弁之俄'，言失德也；'屡舞傞傞①'，言失容也；'既醉而出，并受其福'，宾主之礼也；'醉而不出，是谓伐②德'，宾主之罪也。婴已卜其日，未卜其夜。"

公曰："善。"举酒祭之，再拜而出，曰："岂过我哉，吾托国于晏子也？以其家贫善寡人，不欲其淫侈也，而况与寡人谋国乎？"

【注释】

①屡舞傞傞（suō）：人酒后乱舞不停的丑态。

②伐：败坏。

【译文】

晏子请齐景公饮酒，天黑了，景公召呼准备灯具，晏子推辞说："《诗经》中说：'帽子歪歪斜斜'，说的是酒后失德；'酒醉起舞舞不停'，说的是酒后失态；'喝醉了就出去，大家都受福'，这是宾主应有的礼；'喝醉了还不离开，这叫缺德'，这是宾主都有罪过。我只为白天饮酒占过卜，没为晚上饮酒占卜。"

景公说："说得好。"举起酒杯祭天地，拜了两拜后就走出去了，说道："我把国家托付给晏子，难道有错吗？他家里贫穷还来款待寡人，不愿过于奢侈，更何况和寡人共同谋划国事呢？"

景公问东门无泽年谷而对以冰晏子请罢伐鲁

【原文】

景公伐鲁，傅[①]许，得东门无泽。公问焉："鲁之年谷何如？"对曰："阴冰凝，阳冰厚五寸。"公不知，以告晏子。

晏子对曰："君子也。问年谷而对以冰，礼也。阴冰凝、阳冰厚五寸者，寒温节[②]，节则刑政平，平则上下和，和则年谷熟[③]。年充众和而伐之，臣恐罢民弊兵，不成君之意。请礼鲁以息吾怨，遣其执[④]以明吾德。"

公曰："善。"乃不伐鲁。

【注释】

①傅：这里指来到。

②节：符合气候节令。

③熟：这里指年成好。

④执：俘虏。

【译文】

齐景公攻打鲁国，来到了许地，抓获了一个叫东门无泽的人。景公问他："鲁国今年粮食收成怎么样啊？"东门无泽回答说："背阴处冰全冻着，向阳处冰厚有五寸。"景公不明白他的话，就告诉了晏子。

晏子回答说："他是个君子。问他年成他以冰回答，这是合乎礼的。背阴处冰全冻着，向阳处冰厚有五寸，说明冷暖符合气候节令，符合气候节令国家的刑法政令就平稳，国家的刑法政令平稳上上下下就和睦，上下和睦年成就好。人家年成丰足上下和睦而我们却要攻打它，下臣担心百姓疲倦军队困败，不能完成君上的想法。请君上以礼对待鲁国以平息我们的怨气，遣还他们的俘虏，以表明我们的仁德。”

景公说：“说得好。”于是就不攻打鲁国了。

景公游纪得金壶中书晏子因以讽之

【原文】

景公游于纪，得金壶，发而视之，中有丹书，曰：“无食反鱼，勿乘驽马①。”公曰：“善哉！如若言，食鱼无反，则恶其鱢②也；勿乘驽马，恶其不远取道也。”

晏子对曰：“不然。食鱼无反，毋尽民力乎！勿乘驽马，则无置不肖于侧乎！”

公曰：“纪有书，何以亡也？”

晏子对曰：“有以亡也。婴闻之，君子有道，悬之闾。纪有此言，注之壶，不亡何待乎！”

【注释】

①驽（nú）马：劣马。

②鱢：腥气。

【译文】

齐景公到纪国故地游玩，得到一个金壶，于是打开来看，里面有朱砂文书，上面写着：“不要吃翻过来的鱼，不要坐劣马拉的车。”景公说：“说得好啊！按照这话的意思，吃鱼不要翻过来，是厌恶它的腥气；不要坐劣马拉的车，是嫌它走不了远路。”

晏子回答说：“不是这样。吃鱼不要翻过来，是不要用尽百姓的力量吧！不要坐劣马拉的车，则是不要将奸佞之人放在身边吧！”

景公说：“纪国有这样的文书，为什么还会亡国呢？”

晏子回答说：“它的灭亡是有原因的。我听说，君子有治国的策略，就把它高悬于里巷之门。纪国有这样的良言，却把它当成水装在壶中，它不灭亡还能等到什么好结果呢？”

景公贤鲁昭公去国而自悔晏子谓无及已

【原文】

鲁昭公失国①走齐，景公问焉，曰：“子之年甚少，奚道至于此乎？”昭公对曰：“吾少之时，人多爱我者，吾体不能亲；人多谏我者，吾忌不能从。是以内无拂②而外无辅。辅拂无一人，谄谀者甚众，譬之犹秋蓬也，孤其根而美枝叶，秋风一至，偾且揭③矣。”

景公辩其言，以语④晏子，曰：“使是人反其国，岂不为古之贤君乎？”

晏子对曰：“不然。夫愚者多悔，不肖者自贤，溺者不问队，迷者不问路。溺而后问队，迷而后问路，譬之犹临难而遽⑤铸兵，临噎而遽掘井，虽速亦无及已。”

【注释】

①失国：这里指被推翻君位。

②拂（bì）：通“弼”，辅佐。

③揭：飘飞。

④语（yù）：相告。

⑤遽：急忙。

【译文】

鲁昭公失位而逃亡到齐国，齐景公问道："您还很年轻，为何会落到这样的地步？"昭公回答说："我年少之时，很多人爱戴我，我却不能真正亲近他们；很多人劝谏我，我却忌讳不听从。所以在内无人辅佐，在外无人帮忙。辅佐帮忙的人一个也没有，谄媚阿谀之人倒是很多，就好像秋天的蓬草，草根孤零零的而枝叶却很华美，秋风一到，它就扑倒在地然后飘飞远去了。"

景公觉得他的话很巧妙有理，将这些话告诉了晏子，并说："如果让昭公返回他的国家，难道不会成为一个像古代贤君一样的明君吗？"

晏子回答说："不是这样。愚蠢的人总是多后悔，不贤的人总是自以为贤，落水的人总是事先不探道，迷路的人总是事先不问路。落水了以后再探道，迷路了以后再问路，这就像大难临头才急忙去打造兵器，被食物噎住了才急忙去挖井，即使速度再快也来不及了。"

晏子使鲁有事已仲尼以为知礼

【原文】

晏子使鲁，仲尼命门弟子往观。子贡反，报曰："孰谓晏子习于礼乎？夫礼曰：'登阶不历[①]，堂上不趋，授玉不跪。'今晏子皆反此，孰谓晏子习于礼者？"

晏子既已有事于鲁君，退见仲尼。仲尼曰："夫礼，登阶不历，堂上不趋，授玉不跪。夫子反此，礼乎？"

晏子曰："婴闻两楹[②]之间，君臣有位焉，君行其一，臣行其二。君之来速，是以登阶历，堂上趋，以及位也。君授玉卑，故跪以下之。且吾闻之，大者不逾闲，小者出入可也。”

晏子出，仲尼送之以宾客之礼。反，命门弟子曰：“不法之礼，维晏子为能行之。”

【注释】

①历：这里指越级而上。

②两楹（yíng）：这里指厅堂中。

【译文】

晏子出使鲁国，孔子让门下弟子前去观看。子贡看完回来，向孔子报告说：“谁说晏子熟习于礼啊？礼节规定：‘上台阶不能越级，在堂上不能小步快走，国君授玉时不能跪接。’现在晏子全部与此相反，谁说晏子是熟习礼的人呢？”

晏子结束了对鲁君的拜谒后，离开朝堂去见孔子。孔子说：“按照礼节，上台阶不能越级，在堂上不能小步快走，授玉时不能跪接。先生所做全部与此相反，这符合礼吗？”

晏子说：“我听说厅堂中，国君和臣子各有自己的位置，国君走一步，臣子要走两步。鲁君来的时候走得快，所以我上台阶跨越而行，在堂上小步快走，以便于到达我的位置。鲁君授玉时身子低伏，所以我跪下以便降低位置。况且我听说，大的方面不逾越法度界限，小的方面有些出入是可以的。”

晏子出去了，孔子以待贵客之礼送他。返回后，对门下弟子说：“不拘泥于规定的礼，只有晏子能够做到。”

晏子之鲁进食有豚亡二肩不求其人

【原文】

晏子之鲁，朝食，进馈膳，有豚焉。晏子曰：“去[①]其二肩。”昼[②]者进膳，则豚肩不具。侍者曰：“膳豚肩亡。”晏子曰：“释[③]之矣。”侍者曰：“我能得其人[④]。”晏子曰：“止。吾闻之，量功而不量力，则民尽；藏余不分，则民盗。子教我所以改之，无教我求其人也。”

【注释】

①去（jǔ）：藏。

②昼：中午。

③释：这里指不再过问。

④其人：指偷走猪腿的人。

【译文】

晏子到鲁国去，早餐时，送来饭食，其中有熟小猪。晏子说：“把它的两条腿藏起来。”中午送来饭食，那猪腿却不见了。侍者说：“食用的猪腿丢失了。”晏子说：“这件事就算了吧。”侍者说：“我能找到偷猪腿的人。”晏子说：“别这样做。我听说，凡事只考虑成效而不考虑民力，就会使民力竭尽；藏起剩余之物不分给百姓，就会使百姓偷盗。你应当教我如何改正藏猪腿的行为，而不应当教我去找那个偷猪腿之人。”

曾子将行晏子送之而赠以善言

【原文】

曾子将行，晏子送之，曰：“君子赠人以轩，不若以言。吾请以言之，以轩乎？”

曾子曰：“请以言。”

晏子曰：“今夫车轮，山之直木也，良匠煣之，其圆中[①]规，虽有槁[②]暴，不复嬴[③]矣，故君子慎隐煣。和氏之璧，井里[4]之困也，良工修之，则为存国之宝，故君子慎所修。今夫兰本，三年而成，湛之苦酒，则君子不近，庶人不佩；湛之麋醢[5]，而贾[6]匹马矣。非兰本美也，所湛然也。愿子之必求所湛。婴闻之，君子居必择邻，游必就士。择居所以求士，求士所以辟患也。婴闻汩[7]常移质，习俗移性，不可不慎也。”

【注释】

①中（zhòng）：符合。

②槁（gǎo）：干枯。

③羸：挺直。

④井里：市井乡里。

⑤麋醢（hǎi）：这里指麋鹿肉酱。

⑥贾（jià）：同“价”，价值。

⑦汩（gǔ）：污浊。

【译文】

曾子将要远行，晏子为他送行，说：“君子与其赠给人车子，不如赠给人话语。请问我是赠给你话语呢？还是车子呢？”

曾子说：“请赠给我话语。”

晏子说：“假如有个车轮，本是山中笔直的树木，经高明的工匠用火烘烤使它弯曲，做成的圆形完全符合规格，这样即使木头干枯再加暴晒，也不再挺直了，所以君子要很慎重地对待改变自己本性的那些事。和氏的玉璧，在常人看来只是市井乡里一块做门限的普通石头，但经高明的工匠加工修治，就成了镇国之宝，所以君子要很慎重地对待修养问题。假如有条兰草根，三年长成，用苦酒浸泡过后，君子不愿亲近它，百姓也不愿佩带它；若用麋鹿肉酱浸泡它，那它的价值就相当于一匹马。并不是兰草根有多好，而是浸泡它的东西使它这样啊。希望您一定要找好所浸染的环境。我听说，君子居住时一定要选择好邻居，出游时一定靠近贤士。选择邻居是为了寻求贤士，寻求贤士是为了避开祸患。我听说人混杂在污浊世俗中就会改变人的品质，习染于风俗就会改变人的本性，这个问题不能不慎重对待呀。”

晏子之御感妻言而自抑损晏子荐以为大夫

【原文】

晏子为齐相，出，其御之妻从门间而窥，其夫为相御，拥大盖①，策驷②马，意气扬扬，甚自得也。既而归，其妻请去。夫问其故，妻曰：“晏子长不满六尺，身相齐国，名显诸侯。今者妾观其出，志念深矣，常有以自下者。今子长八尺，乃为人仆御；然子之意，自以为足，妾是以求去也。”

其后，夫自抑损。晏子怪而问之，御以实对，晏子荐以为大夫。

【注释】

①大盖：马车上用以遮蔽风雨烈日的车盖。

②驷：古代以一车拉四匹马为驷。

【译文】

晏子出任齐国宰相，出行时，他的车夫的妻子从门缝里往外窥视，只见自己的丈夫为相国驾车，在高大的车盖的簇拥下，赶着四匹马，意气扬扬，很是自得的样子。其后不久车夫回到家里，他的妻子请求离开他。丈夫问她原因，妻子说：“晏子身长不满六尺，却出任齐国的相国，声名显赫于诸侯。今天我观察他出行，心志深沉，总有自居下人的样子。而你身高八尺，还给人做驾车的仆人；而你的心中，还自以为此为满足，我因此请求离开你。”

这以后，车夫开始变得谦虚自制。晏子感到奇怪就问他，车夫将实情告诉了他，晏子就推荐他做了大夫。

泯子午见晏子晏子恨不尽其意

【原文】

燕之游士[①]，有泯子午者，南见晏子于齐。言有文章、术有条理、巨可以补国、细可以益晏子者三百篇。睹晏子，恐慎而不能言。晏子假[②]之以悲色，开之以礼颜，然后能尽其复也。

客退，晏子直席而坐，废朝移时。在侧者曰：“向者燕客侍，夫子胡为忧也？”

晏子曰：“燕，万乘之国也；齐，千里之涂[③]也。泯子午以万乘之国为不足说，以千里之涂为不足远，则是千万人之上也。且犹不能殚其言于我，况乎齐人之怀善而死者乎？吾所以不得睹者，岂不多矣！然吾失此，何之有也。”

【注释】

①游士：游走四方传播其学说主张的人。

②假：这里指宽慰。

③涂：通“途”，路途。

【译文】

燕国的游士中有一个叫泯子午的人，行南至齐国谒见晏子。言辞颇有文采，思路很有条理，大的方面能有补于国家，小的方面能有益于晏子，他的文章有三百篇。他见到晏子，因为害怕而说不出话来。晏子以和悦灿烂的笑容宽慰他，用礼貌的态度开导他，这之后他才畅所欲言。

客人退出后，晏子端坐在席上，很长时间忘了上朝。身旁的人说：“先前是燕国客人陪侍先生，先生现在为什么忧愁啊？”

晏子说：“燕国，是有万辆兵车的强国；到齐国，有千里的路途。泯子午认为有万辆兵车的强国还不值得游说，也不以千里路途为遥远，可见他是超过万人之上了。这样的人尚且不能对我畅所欲言，更何况那些在齐国怀藏才德到死的人呢？我不能够亲眼见到的人，岂不是太多了吗！我失去了这些人，还能有什么成就。”

晏子遗北郭骚米以养母骚杀身以明晏子之贤

【原文】

齐有北郭骚者，结罘[①]罔[②]，捆蒲苇，织葩[③]履，以养其母，犹不足，踵门[④]见晏子曰：“窃说先生之义，愿乞所以养母者。”晏子使人分仓粟府金而遗之，辞金受粟。

有间，晏子见疑于景公，出奔，过北郭骚之门而辞。北郭骚沐浴而见晏子曰：“夫子将焉适？”晏子曰：“见疑于齐君，将出奔。”北郭骚曰：“夫子勉之矣！”晏子上车太息而叹曰：“婴之亡岂不宜哉？亦不知士甚矣。”

晏子行，北郭子召其友而告之曰：“吾说晏子之义，而尝乞所以养母者焉。吾闻之，养及亲者身伉[⑤]其难。今晏子见疑，吾将以身死白之。”着衣冠，令其友操剑，奉笥[⑥]而从，造于君庭，求复者曰：“晏子，天下之贤者也，今去齐国，齐必侵矣。方见国之必侵，不若先死，请以头托白晏子也。”因谓其友曰：“盛吾头于笥中，奉以托。”退而自刎。

其友因奉以托而谓复者曰：“此北郭子为国故死，吾将为北郭子死。”又退而自刎。

景公闻之，大骇，乘驲而自追晏子，及之国郊，请而反之。晏子不得已而反，闻北郭子之以死白己也，太息而叹曰：“婴之亡岂不宜哉！亦愈不知士甚矣。”

【注释】

①罘（fú）：捕兽的网。

②罔（wǎng）：同“网”。

③萉（fèi）：麻。

④踵（zhǒng）门：亲自登门。

⑤伉（kàng）：抵挡。

⑥笥（sì）：竹制的盛器。

【译文】

齐国有个叫北郭骚的人，平日以靠结兽网，编草席，织麻鞋，来养活他的母亲，还是不够维持生活，于是就亲自登门拜见晏子说：“我私下里仰慕先生的德义，希望能向先生讨要一些能够供养母亲的东西。”晏子派人分出仓中的粮食和府库中的钱送给他，他推辞了金钱，只接受了粮食。

过了一段时间，晏子受到景公猜忌，出逃于外，路过北郭骚家门而去辞行。北郭骚沐浴后接见晏子说：“先生将要到哪里去？”晏子说：“我被齐王猜忌，我要出去逃亡。”北郭骚说：“先生努力吧！”晏子上车长叹一声说：“我逃亡难道不是应该的吗？我太不了解人了。”

晏子走了以后，北郭骚找来他的朋友并告诉他说：“我仰慕晏子的德义，曾经向他讨要能够供养母亲的东西。我听说，对于供养过自己双亲的人，应当亲自为他抵挡灾难。如今晏子被猜忌，我将要用我的死来使之清白。”他穿好衣服戴好帽子，让他的朋友拿着剑，捧着竹笥跟着他，来到景公的宫廷，对传话的人说：“晏子，是天下的贤能之人，如今他离开了齐国，齐国一定会被他国侵犯。等着看国家一定被侵犯，不如先死，请让我把脑袋托付给你来为晏子昭雪。”接着对他的朋友说：“将我的脑袋盛在竹筒中，捧上托付给他。”说完退下自刎了。

他的朋友于是捧上竹筒托付给传话的人并对他说：“这位北郭先生为了国家的缘故而死，我将要为北郭先生而死。”说完也退下来自刎了。

景公听说了这件事，十分惊惧。乘坐驿车亲自去追赶晏子，至国境追上了他，请罪并请求他回去。晏子不得已只好返回，听说北郭先生用死来为自己昭雪，长长地叹了一口气说：“我逃亡难道不是应该的吗？我又更加不了解人了。

景公欲见高纠晏子辞以禄仕之臣

【原文】

景公谓晏子曰：“吾闻高纠与夫子游，寡人请见之。”

晏子对曰：“臣闻之，为地战者，不能成其王；为禄仕者，不能正其君。高纠与婴为兄弟久矣，未尝干[①]婴之行，特[②]禄仕之臣也，何足以补君乎？”

【注释】

①干：这里指批评。

②特：只是。

【译文】

齐景公问晏子说：“我听说高纠同先生有交往，请让寡人见见他。”

晏子回答说：“下臣听说，为土地而发动战争的人，不可能成就其王业；为俸禄而做官的人，不可能纠正其国君。高纠和我亲如兄弟很久了，却从来不曾批评过我的行为，只是个为俸禄而做官的人，有什么能够补正君上的呢？”

高纠治晏子家不得其俗乃逐之

【原文】

高纠事晏子而见逐，高纠曰：“臣事夫子三年，无得，而卒见逐，其说何也？”

晏子曰：“婴之家俗有三，而子无一焉。”

纠曰：“可得闻乎？”

晏子曰：“婴之家俗，闲处从容不谈议，则疏；出不相扬美，入不相削①行，则不与②；通国事无论，骄士慢知者，则不朝也。此三者，婴之家俗，今子是无一焉。故婴非特食馈之长也，是以辞。”

【注释】

①削：切磋。

②与：亲近。

【译文】

高纠侍奉晏子而被辞退，高纠说：“在下侍奉先生三年了，什么也没得到，却突然被辞退，这怎么解释呀？”

晏子说：“我家的家规有三条，而你一条也没有做到。”

高纠说：“可以说来听听吗？”

晏子说：“我的家规，居家悠闲安逸时不谈学论道，就要被疏远；在外不相互宣扬美德，在内不相互切磋品行，就不被亲近；对国之大事无所评论，对贤士傲慢对智者慢怠的人，则不召见。这三条，就是我的家规，如今你没有做到其中任何一条。因为我也不是专供人吃饭的主人，所以辞退你。

晏子居丧逊答家老仲尼善之

【原文】

晏子居晏桓子之丧，粗衰①，斩，苴绖带②，杖，菅屦③，食粥，居倚庐，寝苫④枕草。其家老曰："非大夫丧父之礼也。"

晏子曰："唯卿为大夫。"

曾子以问孔子，孔子曰："晏子可谓能远害矣。不以己之是驳人之非，逊辞以避咎，义也夫！"

【注释】

①衰（cuī）：古代丧服，用非常粗的生麻布制成，披于胸前。

②绖（dié）带：丧服中的麻带。

③菅屦（jiān jù）：草鞋。

④苫（shān）：古人居丧时睡觉的草垫。

【译文】

晏子为其父晏桓子服丧，身披粗麻布制成的丧服，丧服没有缝边，头上腰间扎着麻布搓成的孝带，手执孝棒，脚穿草鞋，吃的是稀粥，住的是简陋的棚屋，睡着草垫子枕着草。他的家臣说："这不合大夫为父亲服丧的礼制呀。"

晏子说："只有正卿才服大夫的丧服。"

曾子就这件事请教孔子，孔子说："晏子真可以称作是善于远离祸患之人呀。他不用自己的正确驳斥他人的错误，而用谦逊的言辞来避开别人的指责，就是义啊！"

内篇杂下第六

灵公禁妇人为丈夫饰不止晏子请先内勿服

【原文】

灵公好妇人而丈夫饰者，国[1]人尽服之。公使吏禁之，曰："女子而男子饰者，裂其衣，断其带。"裂衣断带相望[2]，而不止。

晏子见，公问曰："寡人使吏禁女子而男子饰者，裂断其衣带，相望而不止者，何也？"

晏子对曰："君使服之于内，而禁之于外，犹悬牛首于门，而卖马肉于内也。公何以不使内勿服，则外莫敢为也。"

公曰："善。"使内勿服。不逾月，而国人莫之服。

【注释】

①国：这里指国都。

②相望：形容到处都是。

【译文】

齐灵公喜好宫中的女子穿男子的服饰，于是都城里的女子全都换上了男子的服饰。灵公派官吏去禁止这种风气，说："如果有女子穿男人服饰，就扯裂她的衣服，割断她的衣带。"一时间齐国国内被扯裂的衣服和割断的到处都是，但是这种风气屡禁不止。

晏子觐见灵公，灵公问："寡人派官吏禁止女子穿男人的服饰，扯裂割断她们的衣服带子，破衣断带到处都是但是这种风气屡禁不止，这是为什么呢？”

晏子回答说：“君上让宫内的女子穿男子的服饰，却禁止宫外的女子这样打扮，就如同在门外挂的是牛头，而门内卖的是马肉一样。君上为什么不禁止宫内的女子穿男人服饰呢？这样宫外的女子也就不敢穿男装了。”

灵公说：“说得好。”于是下令禁止宫内的女子穿男子的服饰。不到一个月，都城里就没有女子穿男子的服饰了。

景公瞢[1]五丈夫称无辜晏子知其冤

【原文】

景公畋于梧丘，夜犹早，公姑坐睡，而瞢有五丈夫北面韦[2]庐，称无罪焉。公觉，召晏子而告其所瞢。公曰：“我其尝杀无罪邪？”

晏子对曰：“昔者先君灵公畋，有五丈夫来骇兽，故并断其头而葬之，命曰‘五丈夫之丘[3]’，此其地邪？”公令人掘而求之，则五头同穴而存焉。公曰：“嘻！”令吏厚葬之。

国人不知其瞢也，曰：“君悯白骨，而况于生者乎？不遗余力矣，不释余知矣。”

故曰：人君之为善易矣。

【注释】

①瞢：通“梦”。

②韦：背。

③丘：坟墓。

【译文】

齐景公在一个挡道的土丘上狩猎，夜色尚早，景公就暂且坐着打个瞌睡，却梦见五个男子脸朝背靠草屋，自称无罪。景公惊醒，召来晏子把梦中所见告诉他。景公说：“我难道曾经诛杀过无辜的人吗？”

晏子回答说：“从前先君灵公狩猎的时候，有五个男子惊跑了野兽，所以灵公把他们的头全都砍断并埋葬在一起，起名叫‘五丈夫之墓’，可能就是这个地方吧？”景公命人掘地寻找，果然有五颗人头埋在同一个墓穴里。景公说：“啊！”命官吏隆重地安葬她们。

国都里的百姓不知道景公做过的梦，说：“君上连白骨都怜悯，更何况对活着的人呢？我们应当把力气一点不留地使出来，把才智一点不藏地用出来。”

所以说，国君要做善事是很容易的。

景公成柏寝而师开言室夕晏子辨其所以然

【原文】

景公新成柏寝之室，使师开鼓琴，师开左抚宫，右弹商，曰：“室夕。”公曰：“何以知之？”师开对曰：“东方之声薄，西方之声扬。”

公召大匠，曰：“立室何为夕？”大匠曰：“立室以宫矩[①]为之。”

于是召司空[②]，曰：“立宫何为夕？”司空曰：“立宫以城矩为之。”

明日，晏子朝，公曰：“先君太公以营丘之封立城，曷为夕？”晏子对曰：“古之立国者，南望南斗，北戴枢星，彼安有朝[3]夕哉？然而以今之夕者，周之建国，国之西方，以尊周也。”

公蹴然[4]曰：“古之臣乎！”

【注释】

①矩：标准。

②司空：古代官名，负责工程营造事务。

③朝（zhāo）：这里指偏东。

④蹴（cù）然：恭敬的样子。

【译文】

齐景公新建成柏寝宫，派乐师开弹琴。乐师开左手奏宫音，右手弹商音，说：“房屋盖得偏西了。”景公说：“你怎么知道的？”乐师开回答说：“因为东方的声音微弱，西方的声音高昂。”

景公召来工匠，问他：“房屋为什么偏西了？”工匠答道：“建房屋是以宫室为标准定方位的。”

景公于是召来司空，问他：“建宫室为什么要偏西？”司空答道：“建宫室是以城墙为标准定方位的。”

第二天，晏子上朝，景公问他：“先君太公当年在营丘的疆界建城墙，为什么要偏西？”晏子回答说：“古时候修建都城，南边可以望见南斗星，北边正顶着北斗星，哪里有偏东偏西的情况呢？然而如今的都城却偏西，是因为周朝所建的都城，在我们国都的西方，偏向西方是为了表示尊敬周天子啊。”

景公显出恭敬的样子说：“晏子真像古代的贤臣啊！”

景公病水瞢与日斗晏子教占瞢者以对

【原文】

景公病水，卧十数日。夜瞢与二日斗，不胜。

晏子朝，公曰："夕者吾瞢与二日斗，而寡人不胜，我其死乎？"晏子对曰："请召占瞢者。"立于闺[1]，使人以车迎占瞢者。

至，曰："曷为见召？"晏子曰："夜者公瞢二日与公斗，不胜，恐必死也，故请君占瞢，是所为也。"占瞢者曰："请反具书[2]。"晏子曰："毋反书。公所病者，阴也；日者，阳也。一阴不胜二阳，故病将已。以是对。"

占瞢者入，公曰："寡人瞢与二日斗而不胜，寡人死乎？"占瞢者对曰："公之所病，阴也；日者，阳也。一阴不胜二阳，公病将已。"

居三日，公病大愈，公且赐占瞢者，占瞢者曰："此非臣之力，晏子教臣也。"公召晏子，且赐之。晏子曰："占瞢者以臣之言对，故有益也；使臣言之，则不信矣。此占瞢之力也，臣无功焉。"

公两赐之，曰："以晏子不夺人之功，以占瞢者不蔽人之能。"

【注释】

①闺：宫中小门。

②书：这里指解梦的书。

【译文】

齐景公患腹中积水的病，卧床十几天了。有一天夜里梦见自己和两个太阳相斗，没能取胜。

晏子上朝时，景公说：“夜里我梦见和两个太阳相斗，而寡人没能取胜，我恐怕要死了吧？”晏子回答说：“请去召占梦的人。”于是他站宫中小门边，派人用车子前去迎接占梦的人。

占梦人到后，问：“为什么事召见我？”晏子说：“夜里君上梦见自己和两个太阳相斗，不能取胜，君上害怕自己一定会死去，因此请先生来占梦，这就是叫先生来的原因。”占梦人说：“请让我回家取解梦的书来。”晏子说：“不必回家取书了。君上所患的病，属阴；太阳，属阳，一个阴不能战胜两个阳，说明君上的病就要痊愈了。先生就这样回答君上。”

占梦人入宫，景公说：“寡人梦见与两个太阳相斗而不能取胜，寡人快要死了吗？”占梦者回答说：“君上所患的病，属阴，太阳，属阳。一个阴不能战胜两个阳，君上的病就要痊愈了。”

过了三天，景公的病痊愈了。景公打算赏赐占梦人，占梦的人说：“这不是下臣的功劳，是晏子教下臣这样说的。”景公于是召见晏子，打算赏赐他。晏子说：“占梦人用下臣的话来回答君上，因此对您有效；如果是下臣自己说这些话，君上就不会相信了。这是占梦人的功劳，下臣没有什么功劳。”

景公分别赏赐了他们两个人，说：“这是由于晏子不抢占别人的功劳，也因为占梦人不掩盖别人的才能。”

景公病疡晏子抚而对之乃知群臣之野

【原文】

景公病疽[①]，在背，高子、国子请公曰：“职[②]当抚疡。”高子进而抚疡。公曰：“热乎？”曰：“热。”“热何如？”曰：“如火。”“其色何如？”曰：“如未熟李。”“大小何如？”曰：“如豆。”“堕[3]者何如？”曰：“如屦辨[4]。”

二子者出，晏子请见。公曰：“寡人有病，不能胜衣冠以出见夫子，夫子其辱视寡人乎？”晏子人，呼宰人[5]具盥，御者具巾，刷手温之，发席傅荐，跪请抚疡。公曰：“其热何如？”曰：“如日。”“其色何如？”曰：“如苍玉。”“大小何如？”曰：“如璧。”“其堕者何如？”曰：“如珪[6]。”

晏子出，公曰：“吾不见君子，不知野人之拙也。”

【注释】

①疽（jū）：痈疽，一种毒疮。

②职：职分。

③堕（huī）：这里指毒疮溃烂。

④辨（bàn）：皮革中断。

⑤宰人：掌管国君膳食的官员。

⑥珪（guī）：玉板。

【译文】

齐景公背上长了痈疽，高子、国子前来看望景公说：“按职分我们应当为君上按摩痈疽。”于是高子上前给景公按摩痈疽。景公问：“痈疽热吗？”高子答：“热。”景公问：“热到什么程度？”高子答：“如同火一样。”景公问：“痈疽的颜色如同什么？”高子答：“如同没成熟的李子。”景公问：“痈疽的大小如同什么？”高子答：“如同高脚的小盆。”景公问：“痈疽溃烂如同什么？”高子说：“如同鞋面的皮革中断。”

高子、国子两个人出去了，晏子前来看望。景公说：“寡人有病，不能穿戴正式衣帽出去会见先生，先生您能屈尊来看望我吗？”晏子进去以后，招呼膳食官准备盥洗的热水，侍者准备手巾，晏子把手洗净泡热，铺开席子垫上褥子，跪下请求给景公按摩痈疽。景公问：“痈疽热得如同什么？”晏子答：“如同太阳。”

景公问："痈疽的颜色如同什么？"晏子答："如同青色的玉。"景公问："痈疽的大小如同什么？"晏子答："如同璧玉。"景公问："痈疽溃烂如同什么？"晏子答："如同珪玉。"

晏子出去以后，景公说："我没见到君子，就不知道粗人的笨拙。"

晏子使吴吴王命傧者称天子晏子详惑

【原文】

晏子使吴，吴王谓行人①曰："吾闻晏婴，盖北方辩于辞、习于礼者也。命摈者曰：'客见则称天子请见。'"

明日，晏子有事，行人曰："天子请见。"晏子蹴然。行人又曰："天子请见。"晏子蹴然。又曰："天子请见。"晏子蹴然者三，曰："臣受命弊邑②之君，将使于吴王之所，以不敏而迷惑，入于天子之朝。敢问吴王恶乎存？"

然后吴王曰："夫差③请见。"见之以诸侯之礼。

【注释】

①行人：掌朝觐聘问事务的官员。

②弊邑：对自己国家的谦称。

③夫差：吴国国君。

【译文】

晏子到吴国出使，吴王夫差对行人说："我听说晏婴，是北方善于辞令、谙习礼仪的人。你交代迎送宾客的人说：'客人来求见的时候，就说天子请他前来见一面。'"

第二天，晏子有事来拜见吴王，行人说："天子请您前去相见。"晏子显现恭敬的神态。行人又说："天子请您前去相见。"

晏子又显出恭敬的神态。行人第三次说："天子请您前去相见。"晏子显出三次恭敬的神态后，说："下臣受敝国国君之命，出使到吴王所在之处，因为我愚昧而迷惑，进了周天子的朝廷。我斗胆请问吴王在哪里？"

这样以后，吴王才说："夫差有请前去相见。"按照诸侯的礼仪见了晏子。

晏子使楚楚为小门晏子称使狗国者入狗门

【原文】

晏子使楚，楚人以晏子短，为小门于大门之侧而延①晏子。晏子不入，曰："使狗国者，从狗门入；今臣使楚，不当从此门入。"傧者更道，从大门入。

见楚王，王曰："齐无人耶？使子为使。"晏子对曰："齐之临淄三百闾，张袂②成阴，挥汗成雨，比肩继踵而在，何为无人？"王曰："然则何为使子？"晏子对曰："齐命使，各有所主，其贤者使使贤王，不肖者使使不肖主。婴最不肖，故宜使楚矣。"

【注释】

①延：引进。

②袂（mèi）：衣袖。

【译文】

晏子出使楚国，楚国人因为晏子个子矮小，在大门旁边开了个小门引晏子进去。晏子不进去，说："出使到狗国的人，才从狗洞出入；如今我出使到楚国，不应当从狗洞进去。"迎宾的人只好变了道，引晏子从大门进去。

晏子见到楚王，楚王说："齐国没有人了吗？竟派你来做使者。"晏子回答说："齐国都城临淄有几千户人家，展开袖子就成了阴天，挥洒汗珠就能形成雨，肩靠着肩脚挨着脚地大有人在，怎么能说没有人？"楚王说："既然这样，那么为什么会派先生来呢？"晏子回答说："齐国派遣使臣，都有各自所适宜出使的国君。那些贤德之人就派他们出使到贤德的国君那里去，那些不贤德之人就派他们出使到不贤德的国君那里去。我最不贤德了，因此最适宜出使楚国了。"

楚王欲辱晏子指盗者为齐人晏子对以橘

【原文】

晏子将至楚，楚闻之，谓左右曰："晏婴，齐之习辞者也，今方来，吾欲辱之，何以也？"左右对曰："为其来也，臣请缚一人，过王而行，王曰：'何为者也？'对曰：'齐人也。'王曰：'何坐①？'曰：'坐盗。'"

晏子至，楚王赐晏子酒。酒酣，吏二缚一人诣王，王曰："缚者曷为者也？"对曰："齐人也，坐盗。"王视晏子曰："齐人固善盗乎？"

晏子避席②对曰："婴闻之，橘生淮南则为橘，生于淮北则为枳③，叶徒相似，其实味不同。所以然者何？水土异也。今民生长于齐不盗，入楚则盗，得无楚之水土使民善盗耶？"

王笑曰："圣人非所与熙也，寡人反取病焉。"

【注释】

①坐：犯……罪。

②避席：古人席地而坐，离开席位起立，表示尊敬。

③枳（zhǐ）：臭橘。

【译文】

晏子将要出使楚国，楚王听说这个消息，对身边的人说：“晏婴是齐国善于辞令的人，如今他将要来访，我想羞辱他一番，用什么办法好呢？”身边的人回答说：“等他来的时候，请让我们捆绑一个人，从大王面前走过，大王就说：‘这是什么人啊？’我们回答说：‘是齐国人。’大王说：‘他犯了何罪？’我们就回答：‘犯了偷盗罪。’”

晏子到达了楚国，楚王为晏子设宴接风洗尘。酒喝得正畅快时，两个官吏捆绑着一个人来到楚王面前，楚王说：“捆绑着的是什么人啊？”官吏说：“他是齐国人，犯了偷盗罪。”楚王看着晏子说：“齐国人向来善于偷盗吗？”

晏子离开座席恭敬地回答说：“我听说，橘子生长在淮南就是橘子，生长在淮北就是枳，外形上叶子相似，但实际上它们的果实味道不同。为什么会这样呢？是由于水土不同啊。如今这个人生长在齐国不会偷盗，到了楚国就偷盗，该不是楚国的水土使得百姓善于偷盗吧？”

楚王笑着说：“对于圣明之人是不能与他开玩笑的，寡人反而自讨苦果了。”

田无宇请求四方之学士晏子谓君子难得

【原文】

田桓子见晏子独立于墙阴，曰：“子何为独立而不忧？何不求四方之学士可者而与坐？”

晏子曰：“共立似君子，出言而非也。婴恶得学士之可者而与之坐?且君子之难得也，若华山然。名山既多矣，松柏既茂矣，望之相相然[①]，尽日不知厌。而世有所美焉，固欲登彼相相之上，仡仡然[②]不知厌。小人者与此异，若部娄[③]之未登，善，登之无蹊，维有楚棘而已；远望无见也，俯就则伤要[④]。婴恶能无独立焉?且人何忧，静处远虑，见岁若月，学问不厌，不知老之将至，安用从[⑤]酒!”

田桓子曰:“何谓从酒?”

晏子曰:“无客而饮，谓之从酒。今若子者，昼夜守尊，谓之从酒也。”

【注释】

①相相（hū hū）然：高大的样子。

②仡仡（yì yì）然：奋勇的样子。

③部娄（pǒu lóu）：小山丘。

④要：“腰”的本字。

⑤从（zòng）：同“纵”。

【译文】

田桓子看见晏子独自站在墙阴处，就说：“先生为什么独自站在那里不感到忧愁呢?何不寻找四方饱学之士中博学强知的人与他坐在一起呢?”

晏子说：“看你拱手站立还像个君子，但一说出话来就不是这样了。我哪能找到饱学之士中有博学强知的人与他坐在一起呢?况且君子难求，就如同华山一样。天下的名山很多，松柏长得也很茂盛，远远望去高大耸立，看一整日也不会感到厌倦。因而世人都赞美它，一定要登上那高高的山巅，奋勇攀登也不会厌倦。小人却与此相反，就如同没攀登时的小山丘，没有登上去时，觉得它还不错，但要攀登它时又没有路，只有荆棘罢了；它让人远远望去什么都看不见，俯下身就会被刺伤腰身。我怎么能不独自站立呢？再说人有什么值得忧愁的呢？独自静思可以思虑长远，看一年的时间就像一个月那么短暂，勤学好问不知厌倦，连年华老去也忘记了，怎么用得着去纵酒呢！”

田桓子说：“什么叫纵酒？”

晏子说：“没有客人相陪伴而自己独饮，就叫纵酒。就像您如今一样，不管白天黑夜都守着酒杯，就叫作纵酒。”

田无宇胜栾氏高氏欲分其家晏子使致之公

【原文】

栾氏、高氏欲逐田氏、鲍氏，田氏、鲍氏先知而遂攻之。高强曰：“先得君，田、鲍安往？”遂攻虎门①。二家召晏子，晏子无所从也。从者曰：“何为不助田、鲍？”晏子曰：“何善焉？其助之也！？”“何为不助栾、高？”曰：“庸②愈于彼乎？”门开，公召而入。

栾、高不胜而出。田桓子欲分其家，以告晏子，晏子曰：“不可！君不能饬③法，而群臣专制，乱之本也。今又欲分其家、利其货，是非制也。子必致之公。且婴闻之，廉者，政之本也；让者，德之主也。栾、高不让，以至此祸，可毋慎乎！廉之谓公正，让之谓保德，凡有血气者，皆有争心，怨④利生孽，维义为可以长存。且分争者不胜其祸，辞让者不失其福，子必勿取！”

桓子曰：“善！”尽致之公，而请老于剧。

【注释】

①虎门：宫门名。

②庸：难道。

③饬：整顿。

④怨（yùn）：通“蕴”，积。

【译文】

栾氏、高氏打算驱逐田氏、鲍氏，田氏、鲍氏却事先知晓了此事，于是就发兵攻打栾氏、高氏。高强说：“假如我们先得到国君，田氏、鲍氏还能逃到哪里去？”于是他们就去攻打虎门。他们双方都想争取晏子，但晏子对哪家都不听从。晏子的随从说：“何不去帮助田氏、鲍氏？”晏子说：“他们有什么好呢？值得我去帮助他们？”随从说：“何不去帮助栾氏、高氏？”晏子说：“这两家难道比那两家强吗？”宫门打开，景公把晏子召了进去。

栾氏、高氏不能取胜，因此逃亡国外。田桓子打算瓜分他们的家产，于是把这个想法告诉了晏子。晏子说：“不可以。国不能整顿法纪，导致群臣专权，这是国家发生祸乱的根本。如今你们又打算瓜分他们的家产、吞占他们的钱财，这不符合制度。您一定要把他们的家产上交给国君。而且我听说过，廉，是为政的根本；谦让，是道德的载体。栾氏、高氏互不谦让，因而招致这样的灾祸，这不该慎重吗！廉洁的意思指的就是公正无私，谦让的意思指的就是保全德行，凡是有血气的人，都有争斗之心，聚积财物就会生出祸端来，只有道义可以使自己长久不败。再说喜欢瓜分争夺的人承受不住由此引起的祸患，推辞谦让的人不会失掉由此带来的幸福，您一定不要瓜分他们的财产！”

田桓子说：“说得好！”于是把获取的财产全都上交了景公，他自己请求到剧城养老。

子尾疑晏子不受庆氏之邑晏子谓足欲则亡

【原文】

庆氏亡，分其邑，与晏子邶殿[①]，其鄙六十，晏子勿受。子尾[②]曰："富者，人之所欲也，何独弗欲？"

晏子对曰："庆氏之邑足欲，故亡。吾邑不足欲也，益之以邶殿，乃足欲；足欲，亡无日矣。在外，不得宰吾一邑。不受邶殿，非恶富也，恐失富也。且夫富，如布帛之有幅焉，为之制度，使无迁也。夫民生厚而用利，于是乎正德以幅之，使无黜[③]慢，谓之幅利。利过则为败，吾不敢贪多，所谓幅也。"

【注释】

①邶殿：在今山东昌邑。

②子尾：齐国大夫。

③黜（chù）：废弃。

【译文】

庆氏逃亡后，国君把他的食邑分给了大臣们，邶殿之地分给了晏子，共有六十个邑，晏子不接受。子尾说："富足，是人们所想得到的，先生为什么偏偏不想要呢？"

晏子回答说："庆氏的食邑之多充分满足了他的欲望，因此导致了他如今的逃亡。我的食邑数量不能充分满足欲望，如果把邶殿的城邑赏赐给我，这就能充分满足我的欲望；一旦充分满足了我的欲望，离逃亡的日子就没有几天了。一旦逃亡在外，就连我原来的一个城邑也不能主宰。因此我拒绝接受邶殿的城邑，不是厌恶富足，而是害怕失去富足。况且富有，就如同布帛有一定幅度一样。为它规定一定的幅度，就是不要让它随意的改变。人们都想生活优厚财用富足，于是就要端正道德作为幅度，使人们对财富既不废弃也不任意无度，这就叫作有幅度之利。利益超过了规定的界限就会惨遭横祸，我不敢贪求多得利益，这就是我所说的幅度。”

景公禄晏子平阴与槁邑晏子愿行三言以辞

【原文】

景公禄晏子以平阴与槁邑，反①市者十一社。晏子辞曰：“吾君好治宫室，民之力弊矣；又好盘游玩好②以饬女子，民之财竭矣；又好兴师，民之死近矣。弊其力，竭其财，近其死，下之疾其上甚矣！此婴之所为不敢受也。”

公曰：“是则可矣。虽然，吾子独不欲富与贵乎？”

晏子曰：“婴闻为人臣者，先君后身。安国而度③家，宗君而处身，曷为独不欲富与贵也！”

公曰：“然则曷以禄夫子？”

晏子对曰：“君商渔盐，关市讥④而不征；耕者十取一焉；弛刑罚，若死者刑，若刑者罚，若罚者免。若此三言者，婴之禄，君之利也。”

公曰：“此三言者，寡人无事焉，请以从夫子。”

公既行若三言，使人问大国，大国之君曰：“齐安矣。”使人问小国，小国之君曰：“齐不我加⑤矣。”

【注释】

①反（fàn）：通“贩”，做买卖。

②玩好（hào）：喜好的事物。

③度：处。

④讥：稽查。

⑤加：欺凌。

【译文】

齐景公把平阴与槁邑赐给晏子做食邑，其中有十一个社是贸易集市。晏子谢绝说："我的国君喜欢修建宫室，百姓的精力已经耗尽了；加之又喜欢到处流连游乐玩赏喜好的器物以及打扮宫中嫔妃，百姓的钱财已经竭尽了；又喜欢用兵打仗，百姓已经濒临死亡了。困乏民力，竭尽民财，使他们濒临死亡，下面的百姓已经非常痛恨在上的国君了！这就是我所以不敢接受的原因。"

景公说："这话说得有道理。即使这样，作为君子难道就偏偏不想富贵吗？"

晏子说："我听说当臣子的，要始终把国君的事放在首位，把自己的事放在后边。安定国家而后安处自家。尊奉国君而后安处自身，我为什么偏偏不想富贵呢？"

景公说："既然这样，那么我拿什么赏赐先生呢？"

晏子回答说："请君上让渔业盐业进入商品市场，对关卡集市只稽查而不征税；对耕田种地的农夫只收十分之一的税；减轻刑罚，若是死罪的改判徒刑，若是徒刑的就改判罚款，若是罚款的就免除罪责。如果所说的这三项建议实行了，就是对我的赏赐，也是君上的利益所在。"

景公说："这三项建议，寡人不会干涉，就按照先生的意思去实施吧。"

景公实行了这三项建议以后，派人去询问大国，大国的国君说："齐国从此高枕无忧了。"派人去询问小国，小国的国君说："齐国不会欺凌我们了。"

梁丘据言晏子食肉不足景公割地将封晏子辞

【原文】

晏子相齐三年，政平民说。梁丘据见晏子中食而肉不足，以告景公。旦日，封晏子以都昌，晏子辞而不受，曰：“富而不骄者，未尝闻之；贫而不恨者，婴是也。所以贫而不恨者，以若①为师也。今封，易婴之师。师已轻，封已重矣。请辞。”

【注释】

①若：贫。

【译文】

晏子担任齐国的相国三年，齐国政治清平百姓欢悦。梁丘据看到晏子吃午饭肉食不多，于是就把这事告诉了景公。第二天，景公要把都昌之地封给晏子，晏子推辞不接受，说：“富裕但不骄纵的人，我不曾听说过；贫穷但不遗憾的人，我就是啊。之所以我贫穷但不遗憾，是因为我以贫穷为自己的老师。如今君上封给我土地，就是改换了我的老师。老师被轻视了，封赐却被看重了，因此我请求辞谢封赏。”

景公以晏子食不足致千金而晏子固不受

【原文】

晏子方食，景公使使者至，分食食之，使者不饱，晏子亦不饱。使者反，言之公。公曰：“嘻！晏子之家，若是其贫也。寡人不知，是寡人之过也。”使吏致千金与市租，请以奉宾客。

晏子辞，三致之，终再拜而辞曰：“婴之家不贫。以君之赐，泽覆三族[1]，延及交游，以振百姓，君之赐也厚矣！婴之家不贫也。婴闻之，夫厚取之君而施之民，是臣代君君民也，忠臣不为也；厚取之君而不施于民，是为筐箧[2]之藏也，仁人不为也；进取于君，退得罪于士，身死而财迁于它人，是为宰[3]藏也，智者不为也。夫十总之布，一豆之食，足于中，免矣。”

景公谓晏子曰：“昔吾先君桓公，以书社[4]五百封管仲，不辞而受，子辞之何也？”

晏子曰：“婴闻之，圣人千虑，必有一失；愚人千虑，必有一得。意者管仲之失、而婴之得者耶？故再拜而不敢受命。”

【注释】

①三族：父系、母系、妻系三族。

②箧（qiè）：小箱子。

③宰：家臣。

④书社：古以二十五家为一社，把社内的人口土地书写登记在册子上，叫作书社。

【译文】

晏子正在吃饭，景公派遣的使者到了。晏子把自己的饭分给使者吃，这样一来，使者没吃饱，晏子也没有吃饱。使者回去以后，就把这事告诉景公。景公说：“啊！晏子的家，原来是这样的贫穷啊。寡人不知道，这是寡人的过失啊。”于是就派官吏送给晏子千金的钱财和市场上的税款，让他用来款待宾客。晏子推辞了，景公三番两次地派官吏前去送给他，晏子最终拜了两拜辞谢说：“我的家不贫穷。我靠着君上的赏赐，父族、母族、妻族都蒙受了恩泽，还延及朋友，并用它赈济了百姓，君上的赏赐已经够丰厚了！我的家不贫穷啊。我听说，从国君那里得到丰厚的赏赐用来接济给百姓，这是臣子代替君王治理百姓，忠臣不这样做；从国君那里得到丰厚的赏赐却不接济给百姓，这是筐子小箱子的收藏行为，有仁心的人不这样做；进身时从国君那里得到赏赐，退隐后又得罪于士人，死后钱财转移到别人手中，这就替人做家臣的收藏行为，聪明的人不这样做。一匹粗布衣裳，一盆饭食，我已经很满足了，四升粗粮，这些赏赐就免了吧。”

景公对晏子说：“过去我的先君桓公，曾经把在册的五百社的土地和人口封给管仲，他不作推辞就接受了，先生这样推辞是为什么呢？”

晏子说：“我听说，智者千虑，必有一失；愚者千虑，必有一得。我想这就是管仲的失误、我的得当之处吧？因此我两拜辞谢不敢接受君上的命令。”

景公以晏子衣食弊薄使田无宇致封邑晏子辞

【原文】

晏子相齐，衣十升之布，食脱粟①之食、五卵、苔菜②而已。左右以告公，公为之封邑，使田无宇致台与无盐。晏子对曰：“昔吾先君太公受之营丘，为地五百里，为世国③长。自太公至于公之身，有数十公矣。苟能说其君以取邑，不至公之身，趣④齐搏以求升土，不得容足⑤而寓焉。婴闻之，臣有德益禄，无德退禄，恶有不肖父为不肖子，为封邑以败其君之政者乎？”遂不受。

【注释】

①脱粟：小米。

②苔菜：海苔。

③世国：诸侯国。

④趣（qū）：奔赴。

⑤容足：立足栖身之地。

【译文】

晏子担任齐国的相国，穿的是粗布衣裳，吃的也不过是小米饭、五个鸡蛋和海苔而已。他身边的人将此事告诉了景公，景公因为这件事要封赏食邑给晏子，于是派田无宇将台邑和无盐邑送给他。晏子回答说："从前我们的先君太公受封营丘，土地方圆五百里，为天下诸侯国的首领。从太公一直传到君上这一代，已有几十代国君了。如果都能以取悦国君来获得食邑，等不到君位传到君上这一代，大家都会奔赴齐国来索取土地，到如今君上恐怕连立足栖身之地都没有了。我听说，臣子有贤德就多给他俸禄，臣子没有贤德就减退他的俸禄，哪里有不贤德的父亲为不贤德的儿子，为取得封邑而损害他们国君的政事呢？"于是晏子最终没有接受封邑。

田桓子疑晏子何以辞邑晏子答以君子之事也

【原文】

景公赐晏子邑，晏子辞。田桓子谓晏子曰："君欢然与子邑，必不受以恨君，何也？"

晏子对曰："婴闻之，节受于上者，宠长于君；俭居于处者，名广于外。夫长宠广名，君子之事也，婴独庸[①]能已乎？"

【注释】

①庸：岂。

【译文】

齐景公赐给晏子食邑，晏子辞谢没有接受。田桓子对晏子说："君上高高兴兴地赐给先生食邑，先生却坚持不受以违背君意，这是为什么？"

晏子回答说："我听说，对上面赏赐的接受有节制，得到国君的宠爱就会长久；俭朴地安居在自己的处所，美名就会传扬在外。长久受到宠爱并且美名传扬，这是君子所要做的事业，难道唯独我就不可以做呢？"

景公欲更晏子宅晏子辞以近市得所求讽公省刑

【原文】

景公欲更晏子之宅，曰："子之宅近市，湫[①]隘嚣尘，不可以居，请更诸爽垲[②]者。"

晏子辞曰："君之先臣容焉，臣不足以嗣之，于臣侈矣。且小人近市，朝夕得所求，小人之利也。敢烦里旅[③]！"

公笑曰："子近市，识贵贱乎？"

对曰："既窃利之，敢不识乎！"

公曰："何贵何贱？"

是时也，公繁于刑，有鬻[④]踊者，故对曰："踊贵而屦贱。"

公愀然[⑤]改容。公为是省于刑。

君子曰："仁人之言，其利博哉！晏子一言，而齐侯省刑。《诗》曰：'君子如祉，乱庶遄已。'其是之谓乎！"

【注释】

①湫（jiǎo）：低洼。

②垲（kǎi）：干燥。

③旅：众。

④鬻（yù）：卖。

⑤愀（qiǎo）然：表情悲伤凄怆的样子。

【译文】

齐景公打算替晏子换一套住宅，说："先生的住宅靠近市场，低洼狭窄喧闹尘杂，不适宜居住，请换到敞亮干燥的地方去住吧。"

晏子谢绝说："下臣的先辈都住在这里，我不配继承先辈的功业，这住处对我来说已经很奢华了。况且我住的靠近市场，一早一晚都能得到我需要的东西，这对我来说是很有好处的。岂敢烦扰乡里众人帮我迁居呢？"

景公笑着说："先生住的靠近市场，知道什么贵什么便宜吗？"

晏子回答说："既然自己从中能得到益处，怎能不知道呢？"

景公说："什么贵什么便宜？"

当时，景公滥用刑罚，市场上有人卖义肢，因此晏子回答说："义肢贵鞋子便宜。"

景公听后脸色变得悲伤凄怆。景公为此而减省了刑罚。

君子评论说："仁德的人说的话，它的好处真大啊！晏子只说了一句话，齐侯就因此减省了刑罚。《诗经》中说：'君子如果来造福，祸乱很快就消除。'大概说的就是这个道理吧！"

景公欲为晏子筑室于宫内晏子称是以远之而辞

【原文】

景公谓晏子曰："寡人欲朝昔[1]相见，为夫子筑室于闺内，可乎？"

晏子对曰："臣闻之，隐而显，近而结②，维至贤耳。如臣者，饰其容止以待命，犹恐罪戾也。今君近之，是远之也，请辞。"

【注释】

①昔：通"夕"。

②结：约束。

【译文】

齐景公对晏子说："寡人想早晚都与先生相见，为先生在宫内修建一所宅院，可以吗？"

晏子回答说："下臣听说，隐退能够使名声显扬，与国君亲近时能自我约束，这只有最为贤德的人才能做到。像下臣这样的人，修饰自己的仪容举止以听候君上的命令，还担心会犯错。如今君上让我住得近些，这实际上是疏远我，请让我谢绝君上的好意。"

景公以晏子妻老且恶欲内爱女晏子再拜以辞

【原文】

景公有爱女，请嫁于晏子。公乃往燕①晏子之家，饮酒酣，公见其妻曰："此子之内子邪？"

晏子对曰："然，是也。"

公曰："嘻！亦老且恶矣。寡人有女少且姣，请以满夫子之宫。"

晏子违席而对曰："乃此则老且恶，婴与之居故矣，故及其少且姣也。且人固以壮托乎老，姣托乎恶。彼尝托，而婴受之矣。君虽有赐，可以使婴倍②其托乎？"再拜而辞。

【注释】

①燕：通“宴”宴，饮。

②倍：通“背”。

【译文】

齐景公有个非常疼爱的女儿，想将她嫁给晏子。景公于是就到晏子家宴饮，正喝得痛快的时候，景公看见了晏子的妻子，说：“这就是先生的妻子吗？”

晏子回答说：“是的，这是我的妻子。”

景公说：“嘿！她又老又丑。寡人有个女儿既年轻又漂亮，请让她充实先生的内室。”

晏子离开坐席回答说：“如今我的妻子确实又老又丑，可是我与她共同生活的时间很长了，过去也曾经赶上她又年轻又漂亮的好时候。况且人本来就是壮年托身于人一直到老年，从漂亮时候托身于人一直到变丑。她曾托身于我，而我也接受了她的托付。君上虽然有所恩赐，但可以因此让我违背我妻子的托付吗？”晏子拜了两拜谢绝了。

晏子老辞邑景公不许致车一乘而后止

【原文】

晏子相景公，老，辞邑。公曰：“自吾先君定公[①]至今，用世[②]多矣，齐大夫未有老辞邑者。今夫子独辞之，是毁国之故、弃寡人也。不可。”

晏子对曰：“婴闻古之事君者，称身而食，德厚而受禄，德薄则辞禄。德厚受禄，所以明上也；德薄辞禄，可以洁下也。婴老，德薄无能而厚受禄，是掩上之明、污下之行，不可。”

公不许，曰："昔吾先君桓公，有管仲恤[3]劳齐国，身老，赏之以三归[4]，泽及子孙。今夫子亦相寡人，欲为夫子三归，泽至子孙，岂不可哉？"

对曰："昔者管子事桓公，桓公义高诸侯，德备百姓。今婴事君也，国仅齐于诸侯，怨积乎百姓，婴之罪多矣，而君欲赏之，岂以其不肖父为不肖子厚受赏，以伤国民义哉？且夫德薄而禄厚，智惛[5]而家富，是彰污而逆教也，不可。"

公不许，晏子出。异日朝，得间[6]而入邑，致车一乘而后止。

【注释】

①定公：当为"丁公"之误。

②用世：统治国家。

③恤：忧虑。

④三归：三处住所。

⑤惛（hūn）：昏庸。

⑥间（jiàn）：机会。

【译文】

晏子给齐景公当相国，告老时，请求把自己的食邑退还给景公。景公说："从我的先君丁公到如今，统治国家的国君已经有很多代了，齐国大夫中从来没有因为告老而退还食邑的人。如今唯独先生要退还食邑，这是破坏国家固有的法规、抛弃了寡人啊。不可以这样做。"

晏子回答说："我听说古代侍奉国君的人，往往先衡量自己的德行然后再决定是否接受俸禄，如果道德淳厚就接受俸禄，如果道德微薄就退还俸禄。道德淳厚而接受俸禄，是为了体现国君的圣明；道德微薄而退还俸禄，是为了让臣下廉洁。如今我年老了，道德微薄缺乏才能却拿着丰厚的俸禄，这就是掩盖君上的圣明、玷污了臣下的品行。不能这样做。"

景公没有答应，说：“过去我的先君桓公，有管仲替齐国的政事忧虑操劳，等到管仲年老了，桓公赏赐他三处住所，福泽延及他的子孙。如今先生也给寡人当相国，我打算赏赐先生三处住所，福泽延及先生的子孙，难道不行吗？”

晏子回答说：“过去管子侍奉桓公，使桓公的道义超过了其他诸侯，恩德遍施于全国百姓。如今我侍奉君上，国家仅能与其他诸侯国处于同等地位，百姓的心里聚积了很多怨恨，我的罪过实在太多了，可是君上却打算赏赐我，难道要让我这个不贤德的父亲替不贤德的儿子接受丰厚的赏赐，因而损害国家百姓的道义吗？况且道德微薄却接受丰厚的俸禄，才智昏庸却家境富有，这是彰显污浊而违背教化的，不能这样做。”

景公没有答应晏子，晏子退出朝廷。过了几天上朝时，晏子找了个机会就交出了食邑，又交出一套马车，这才了事。

晏子病将死凿楹纳书命子壮而示之

【原文】

晏子病，将死，凿楹纳书焉，谓其妻曰：“楹语也，子壮而示之。”

及壮，发书，书之言曰：“布帛不可穷[①]，穷不可饰；牛马不可穷，穷不可服[②]；士不可穷，穷不可任；国不可穷，穷不可窃也。”

【注释】

①穷：竭尽。

②服：役使。

【译文】

晏子病重不能治愈，眼看就要死了，于是命人凿开厅堂的柱子放进准备好的遗书，对他的妻子说：“我放在厅堂柱子里的遗言，等儿子长大后再给他看。”

等到儿子长大了，拿出遗书，遗书上面写着：“布帛不可以缺少，缺少了就没什么可遮身蔽体了；牛马不可以缺少，缺少了就没什么可役使了；士人不可以困窘，困窘了就没有人可以为自己效力了；国家不可以困窘，困窘了就连窃国大盗都不想要了。”

外篇重而异者第七

景公饮酒命晏子去礼晏子谏

【原文】

景公饮酒数日而乐，去冠披裳，自鼓盆瓮，谓左右曰：“仁人亦乐是夫？”梁丘据对曰：“仁人之耳目，亦犹人也，夫奚为独不乐此也？”公曰：“趣驾迎晏子。”

晏子朝服以至，受觞，再拜。公曰：“寡人甚乐此乐，欲与夫子共之，请去礼。”晏子对曰：“君之言过矣！群臣皆欲去礼以事君，婴恐君子之不欲也。今齐国五尺之童子，力皆过婴，又能胜君，然而不敢乱者，畏礼义也。上若无礼，无以使其下；下若无礼，无以事其上。夫麋鹿维无礼，故父子同麀①。人之所以贵于禽兽者，以有礼也。婴闻之，人君无礼，无以临其邦；大夫无礼，官吏不恭；父子无礼，其家必凶；兄弟无礼，不能久同。《诗》曰：‘人而无礼，胡不遄死！’故礼不可去也。”

公曰：“寡人不敏，无良左右淫蛊寡人，以至于此，请杀之！”晏子曰：“左右何罪！君若无礼，则好礼者去，无礼者至；君若好礼，则有礼者至，无礼者去。”公曰：“善。请易衣革冠，更受命。”晏子避走，立乎门外。公令人粪洒②改席，召晏子，衣冠以迎。晏子入门，三让，升阶，用三献礼焉，嗛③酒尝膳，再拜，告餍④而出。公下拜，送之门，反，命撤酒去乐，曰：“吾以彰晏子之教也。”

【注释】

①麀（yōu）：母鹿。

②粪洒：打扫。

③嗛（xián）：品酒。

④餍（yàn）：饱。

【译文】

齐景公一连几天都在喝酒，喝得高兴了，于是就脱掉衣服，解掉下裙，亲自敲着瓦盆奏乐，对身边的近臣说："仁德的人也以此为快乐吗？"梁丘据回答说："仁德的人的耳朵眼睛，也和常人一样，为什么他们就偏不以此为快乐呢？"景公说："立即驾车去迎接晏子。"

晏子穿着朝服来了，接过酒杯，拜了两拜。景公说："寡人很喜欢此时的这种快乐，打算跟先生共同享受，请不要拘泥礼数。"晏子回答说："君上的话错了！群臣都想免掉礼节来侍奉您，我还担心君上不想这样做。如今齐国五尺高的儿童，力气都能超过我，也能胜过君上，然而却不敢作乱，就是因为畏惧礼仪。在上的假如不讲究礼仪，就没有办法使唤下边的人；下边的人假如不讲究礼仪，就没有办法侍奉在上的人。就是因为麋鹿没有礼仪，因此父子共同占有一只母鹿。人之所以比禽兽高贵，就是因为有礼仪。我听说，国君没有礼仪，就没有办法治理他的国家；大夫没有礼仪，下边的官吏就不恭敬；父子之间没有礼仪，他们的家庭必定遭殃；兄弟之间没有礼仪，就不能长久和睦共处。《诗经》中说：'人假如没有礼仪，为什么不赶紧死去！'所以礼仪不可以免除。"

景公说："寡人不聪明，那些没有德行的身边近臣又蛊惑寡人，才到了现在这种地步，请允许我杀了。"晏子说："身边近臣有什么罪！国君如果不讲究礼仪，那么崇尚礼仪的人就会离开，没有礼仪的人就会到来；国君如果讲究礼仪，那么有礼仪的人就会到来，没有礼仪的人就会离开。”景公说：“说得好啊，请让寡人换身衣冠，重新接受您的指教。”晏子回避出去，站在门外。景公于是命令人洒扫庭院更换坐席，召唤晏子，自己衣冠整齐地出来迎接。晏子进门时，三次谦让过后，才登上台阶，行三次敬酒之礼，品酒尝食，拜了两拜，告以吃饱便出去了。景公离开坐席和他拜别，送他到大门口，才返回去，命人撤掉酒宴停止音乐，说：“我用这种方法来显示晏子对我的教诲。”

景公置酒泰山四望而泣晏子谏

【原文】

景公置酒于泰山之上，酒酣，公四望其地，喟然叹，泣数行而下，曰：“寡人将去此堂堂国而死乎！”左右佐哀而泣者三人，曰：“臣细人也，犹将难死，而况公乎！弃是国也而死，其孰可为乎！”晏子独搏其髀[①]，仰天而大笑曰：“乐哉！今日之饮也。”公怫然[②]怒曰：“寡人有哀，子独大笑，何也？”晏子对曰：“今日见怯君一，谀臣三，是以大笑。”公曰：“何谓谀怯也？”晏子曰：“夫古之有死也，令后世贤者得之以息，不肖者得之以伏。若使古之王者如毋有死，自昔先君太公至今尚在，而君亦安得此国而哀之？夫盛之有衰，生之有死，天之分也；物有必至，事有常然，古之道也，曷为可悲？至老尚哀死者，怯也；左右助哀者，谀也。怯谀聚居，是故笑之。”

公惭而更辞曰：“我非为去国而死哀也。寡人闻之，彗星出，其所向之国君当之。今彗星出而向吾国，我是以悲也。”晏子曰：“君之行义回邪，无德于国，穿池沼，则欲其深以广也；

为台榭，则欲其高且大也；赋敛如挢夺[③]，诛僇如仇雠。自是观之，茀[④]又将出。彗星之出，庸可惧乎！”

于是公惧，乃归，窴[⑤]池沼，废台榭，薄赋敛，缓刑罚，三十七日而彗星亡。

【注释】

①髀（bì）：大腿。

②怫（fèi）然：因发怒而脸色大变。

③挢夺：掠夺。

④茀（bèi）：孛星。

⑤窴（tián）：同“填”。

【译文】

齐景公在泰山上设置酒宴与群臣共饮作乐，酒喝到正酣畅之时，景公四面环顾齐国的土地，不由得感慨叹气，泪流满面，说：“寡人将要离开这个堂堂大国而死去啊！”身边近臣中有三个人陪着景公一起哀伤地流泪，他们说：“下臣都是微不足道的人，也还恐惧死去，更不用说君上！君上舍弃这样的大好河山而死去，还能有谁能治理它啊！”唯独晏子拍着大腿，仰天大笑说：“今天之宴饮，真是快乐啊！”景公气得脸色难看地说：“寡人心中悲哀，先生却偏偏大笑，这是为什么？”晏子回答说：“因为今天我看到了一个怯懦的国君，三个阿谀的臣子，因此才不由得大笑起来。”景公说：“什么叫阿谀怯懦？”晏子说：“自古以来人终归是要死的，这样才能让后世百代的贤德之人得到安息，让一个一个不贤之人得以藏伏于地下。如果古代的国君都长生不死，远自过去的先君太公至今还健在，那么君上怎么能拥有这个国家并为死去而悲哀呢？世上之事，有盛就有衰，有生必有死，这是上天执掌事物的自然法则；世间万物都有必然的归宿，万事都有正常的规律，这是自古以来就存在的规律。这有什么可悲哀的呢？活到老了还为死亡而悲哀，就是所谓的怯懦；身边的近臣陪着哀伤，这就是所谓的阿谀。怯懦的人与阿谀的人凑到了一起，因此我觉得这事情很可笑。”

景公听了晏子的话很是惭愧于是改口说：“寡人并不是因为要离开国家去死而悲哀。寡人听说，彗星出现在天际，它所指向的国家的国君就要大祸临头。如今彗星出现了并正指向我们的国家，寡人是因为这件事而感到悲哀。”晏子回答说：“君上的行为太不正直了，对国家没有功德，开凿池塘，总想把它挖得又深又广；修建亭台楼阁，总想把它建得又高又大；征收赋税就如同掠夺一样，杀戮百姓就像对待仇敌一样。由此看来，孛星也要出现。彗星的出现，有什么可恐惧的呢！”

景公很恐惧，这才率群臣返回朝廷，填平了池塘，拆了修建亭台楼阁，减轻赋税，放宽刑罚，过了三十七天彗星就消失了。

景公瞢见彗星使人占之晏子谏

【原文】

景公瞢见彗星。明日，召晏子而问焉曰：“寡人闻之，有彗星者必有亡国。夜者，寡人瞢见彗星，吾欲召占瞢者使占之。”

晏子对曰：“君居处无节，衣服无度，不听正谏，兴事[①]无已，赋敛无厌，使民如将不胜[②]，万民怼[③]怨，茀星又将见[④]瞢，奚独彗星乎！”

【注释】

①事：这里指大型的土木工程。

②胜：承受。

③怼（duì）：怨恨。

④见（xiàn）：同“现”。

【译文】

齐景公梦见了彗星。第二天，他就把晏子召来问道：“寡人听说，有彗星出现，一定会是亡国的征兆。昨夜，寡人梦见了彗星，我想把占梦的人召来替我占卜一卦。”

晏子回答说：“君上饮食起居没有节制，衣着服饰不合法度，不听从直言劝谏，大兴土木永无止境，征收赋税贪得无厌，役使百姓让他们无法承受，千千万万的百姓无不怨恨，孛星又将会出现在君上的梦里，哪里仅是彗星呢！”

景公问古而无死其乐若何晏子谏

【原文】

景公饮酒，乐，公曰：“古而无死，其乐若何！”

晏子对曰：“古而无死，则古之乐也，君何得焉？昔爽鸠氏[①]始居此地，季萴[②]因之，有逢伯陵[③]因之，蒲姑氏[④]因之，而后太公因之。古若无死，爽鸠氏之乐，非君所愿也。”

【注释】

①爽鸠氏：少昊帝时掌管司法的官员。

②季萴（cè）：舜、禹时期的诸侯。

③逢伯陵：商代诸侯。

④蒲姑氏：商周之际的诸侯。

【译文】

齐景公喝酒喝得高兴，说：“如果自古就没有死亡，那该是多么的快乐呢！”

晏子回答说："如果自古就没有死亡，那是古代人的快乐，君上怎么可能享受得到呢？过去爽鸠氏开始居住在这里，后来季荝继承了爽鸠氏，又有逢伯陵继承了季荝，再后来蒲姑氏继承了逢伯陵，然后太公继承了蒲姑氏。如果自古没有死亡，那是爽鸠氏的快乐，这不是君上所希望看到的。"

景公见道殣自惭无德晏子谏

【原文】

景公赏赐及后宫，文绣[①]被台榭，菽粟食凫[②]雁。出而见殣，谓晏子曰："此何为而死？"

晏子对曰："此餧而死。"

公曰："嘻！寡人之无德也甚矣。"

对曰："君之德著而彰，何为无德也？"

景公曰："何谓也？"

对曰："君之德及后宫与台榭，君之玩物，衣[③]以文绣；君之凫雁，食以菽粟；君之营内自乐，延及后宫之族，何为其无德！顾臣愿有请于君：由君之意、自乐之心，推而与百姓同之，则何殣之有！君不推此，而苟营内好私，使财货偏有所聚，菽粟币帛腐于囷[④]府，惠不遍加于百姓，公心不周乎万国，则桀、纣之所以亡也。夫士民之所以叛，由偏之也。君如察臣婴之言，推君之盛德，公布之于天下，则汤、武可为也，一殣何足恤哉！"

【注释】

①文绣：绣着花纹的丝帛。

②凫（fú）：鸭。

③衣（yì）：穿。

④囷（qūn）：粮仓。

【译文】

齐景公的赏赐多得遍及后宫嫔妃姬妾，还用锦绣丝帛披盖着亭台楼阁，豆类和谷子喂养鸭鹅。景公外出看见有人饿死了，问晏子说："这个人是为什么死的？"

晏子回答说："他因饥饿而死。"

景公说："唉！寡人没有仁德到了极点。"

晏子回答说："君上的仁德显著而昭彰，怎么能说没有仁德呢？"

景公说："这话是什么意思呢？"

晏子回答说："君上的仁德遍及后宫嫔妃姬妾与宫中的亭台楼阁，甚至君上的玩物，也都穿上了锦绣丝帛；君上的鸭鹅，都用豆类和谷子喂养；君上把谋求自身的欢乐，惠及后宫嫔妃姬妾的亲属族人，怎么能说没有仁德呢！不过下臣向君上请求：从君上的本意，把自求欢乐之心，推而广之与百姓共享，那么哪里还会有饿死的人！君上不把这些推而广之，却苟且于谋求自身满足私欲，使钱财货物都聚拢到自己的手中，豆谷布帛都烂在自己的仓库里，而恩惠不能普遍地施加于百姓，君上的关心也不能遍及天下各诸侯国，这就是夏桀、商纣灭亡的缘故。士人和百姓之所以背离，就是因为钱财货物被人独占。君上如果能明察下臣的话，把君上的盛大仁德推而广之，公正广泛地施予天下，那么君上也可以成为商汤、周武这样的圣君了，一个饿死的人有什么值得怜恤的呢！"

景公欲诛断所爱橚者晏子谏

【原文】

景公登箐室①而望，见人有断雍门之橚②者，公令吏拘之，顾谓晏子趣诛之，晏子默然不对。公曰："雍门之橚，寡人所甚爱也，比③见断之，故使夫子诛之，默然而不应，何也？"

晏子对曰："婴闻之，古者人君出，则辟道十里，非畏也；冕前有旒④，恶多所见也；纩⑤纮⑥充耳，恶多所闻也；泰带重半钧，舄⑦履倍重，不欲轻也。刑死之罪，日中之朝，君过之，则赦之，婴未尝闻为人君而自坐其民者也。"

公曰："赦之，无使夫子复言。"

【注释】

①箐（jīng）室：有本作"青堂"，均未言明其意。

②橚（sù）：楸树。

③比：刚才。

④旒（liú）：冠冕前后悬垂的玉串。

⑤纩（kuàng）：丝绵絮。

⑥纮（hóng）：冠冕上的纽带。

⑦舄（xì）：复底的鞋。

【译文】

齐景公登上箐室向远处眺望，看到有人砍断了雍门的楸树，景公命令官吏拘捕他，回头吩咐晏子立即处决了他，晏子沉默不语。景公说："雍门的楸树，是寡人最喜爱的东西，刚才看到有人砍断了它，因此让先生杀死这个人，您却默不作声，这是什么原因呢？"

晏子回答说："我听说，古代国君外出，就要开道十里，这并不是因为害怕什么；冠冕前边悬垂着玉串，这是不想看到太多的事情；用丝绵冠带堵住耳朵，这是不想听到太多的东西；宽大的衣带重达十五斤，鞋子重量加倍，这是不愿意使自己'轻'。判处死刑的罪犯，在中午的集市上等候处决，君主如果经过那里看见了，就赦免他。我不曾听说当国君主的亲自判决他的百姓罪过的。"

景公说："赦免了那个人吧，先生不要再说了。"

景公坐路寝曰谁将有此晏子谏

【原文】

景公坐于路寝，曰："美哉室，其将谁有此乎？"

晏子对曰："其田氏乎，田无宇为垾①矣。"

公曰："然则奈何？"

晏子对曰："为善者，君上之所劝也，岂可禁哉！夫田氏，国门击柝②之家，父以托其子，兄以托其弟，于今三世矣。山木如市，不加于山；鱼盐蚌蜃，不加于海。民财为之归。今岁凶饥，蒿种芼敛③不半，道路有死人。齐旧四量：四升为豆，豆四而区，区四而釜，釜十而钟。田氏四量，各加一焉。以家量贷，以公量收，则所以籴④，百姓之死命者泽矣。今公家骄汰⑤，而田氏慈惠，国泽是将焉归？田氏虽无德，而有施于民，公厚敛而田氏厚施焉。《诗》曰：'虽无德于汝，式歌且舞。'田氏之施，民歌舞之也，国之归焉，不亦宜乎！"

【注释】

①垾（hàn）：这里比喻田氏已经得了人心，地位稳固。

②击柝（tuò）：打更。

③芼（mào）敛：收取。

④籴（dí）：买进粮食。

⑤汰（tài）：骄奢。

【译文】

齐景公在正寝里坐着，说："这宫室真漂亮呀！以后谁会占有它呢？"

晏子回答说："大概是田氏吧，田无宇已经形成气候了。"

景公说："既然这样，那么该怎么办？"

晏子回答说："做好事，是国君应该鼓励的，怎么可以禁止呢！那田氏，原是在国都城门敲梆子打更的人家，父亲把这差事传给儿子，哥哥把这差事传给弟弟，到如今已经三代了。他家山上的木材运到市场上卖，价钱不比山上贵；鱼盐蚌蛤运到市场上卖，价钱不比海边贵。百姓的钱财因此都归拢到他家。今年收成不好，消耗的种子收不到一半，道路上有饿死的人。齐国原有四种朝廷制定的量器，四升为一豆，四豆为一区，四区为一釜，十釜为一钟。而田氏私家有四种量器，进位各比公家的增加一倍。他用自家的大量器借出粮食，用公家的小量器收回粮食，那么这种购买粮食的方法，就是濒临死亡的百姓得到了恩泽。如今公室骄纵奢侈，可是田氏却很仁慈恩惠，国家除了田氏还能归谁所有呢？田氏虽然没有大的贤德，然而能施舍财物给百姓，君上赋敛繁重田氏却大加施舍。《诗经》中说：'虽然对你没有施恩德，也应该载歌载舞表示高兴。'田氏施恩德给百姓，百姓为此高兴得载歌载舞，国家将归田氏所有，不是很正常的吗？"

景公筑长庲台晏子舞而谏

【原文】

景公筑长庲之台。晏子侍坐，觞三行，晏子起舞曰："岁已暮矣，而禾不获，忽忽[1]矣若之何！岁已寒矣，而役不罢，惙惙[2]矣如之何！"舞三，而涕下沾襟。景公惭焉，为之罢长庲之役。

【注释】

①忽忽：忧愁的样子。

②惙惙（chuò chuò）：忧愁的样子。

【译文】

齐景公修筑长庲台。一次晏子陪伴在景公身边，酒过三巡，晏子起身跳舞助兴，唱道："已经到了岁末了，田里的庄稼仍没有收割，真让人忧愁啊将来日子怎么过！天气已经寒冷了，而筑台的徭役仍没有停歇，真让人忧愁啊这样下去可怎么办！"跳了三遍，泪水沾湿了衣襟。景公羞愧，于是停止了修筑长庲的徭役。

景公使烛邹主鸟而亡之公怒将加诛晏子谏

【原文】

景公好弋[1]，使烛邹主[2]鸟而亡之，公怒，召吏欲杀之。晏子曰："烛邹有罪三，请数之以其罪而杀之。"公曰："可。"于是召而数之公前，曰："烛邹，汝为吾君主鸟而亡之，是罪一也；使吾君以鸟之故杀人，是罪二也；使诸侯闻之，以吾君重鸟以轻士，是罪三也。”数烛邹罪已毕，请杀之。公曰：“勿杀！寡人闻命矣。”

【注释】

①弋（yì）：用带有绳子的箭射杀飞禽。

②主：这里指看管。

【译文】

齐景公喜好射鸟，派烛邹看管鸟但他却让鸟飞跑了，景公为此很生气，叫来官吏想要杀了他。晏子说：“烛邹有三条罪状，请让我把他的罪状列举出来再杀他也不迟。”景公说：“可以。”于是晏子就把烛邹召来，在景公面前列举他的罪状，说：“烛邹，你替我们君上看管鸟却让鸟飞跑了，这是你的第一条罪状；你使得我们君上为了鸟的缘故杀人，这是你的第二条罪状；你让诸侯们知道这件事，觉得我们君上只看重鸟却轻视士人，这是你的第三条罪状。”晏子列举完烛邹的罪状，就请景公杀死他。景公说：“不要杀！寡人听从先生的教诲了。”

景公问治国之患晏子对以佞人谗夫在君侧

【原文】

景公问晏子曰：“治国之患亦有常乎？”对曰：“佞人谗夫之在君侧者，好恶良臣，而行与①小人，此治国之常患也。”公曰：“谗佞之人，则诚不善矣；虽然，则奚曾为国常患乎？”晏子曰：“君以为耳目而好谋事，则是君之耳目缪②也。夫上乱君之耳目，下使群臣皆失其职，岂不诚足患哉？”

公曰：“如是乎！寡人将去之。”晏子曰：“公不能去也。”公忿然作色不说，曰：“夫子何少寡人之甚也！”对曰：“臣何敢挢[3]也！夫能自周于君者，才能皆非常也。夫藏大不诚于中者，必谨小诚于外，以成其大不诚。入则求君之嗜欲能顺之，君怨良臣，则具其往失而益之；出则行威以取富。夫何密近，不为大利变，而务与君至义者？此难见而且难知也。”

公曰：“然则先圣奈何？”对曰：“先圣之治也，审见宾客，听治不留[4]，患日不足，群臣皆得毕其诚，谗谀安得容其私！”公曰：“然则夫子助寡人止之，寡人亦事勿用矣。”对曰：“谗夫佞人之在君侧者，若社之有鼠也。谚言有之曰：‘社鼠不可熏，去此乃治矣。’谗佞之人，隐君之威以自守也，是故难去焉。”

【注释】

①与：结交。

②缪（miù）：谬误。

③挢（jiǎo）：这里指自大。

④留：拖延。

【译文】

齐景公问晏子说：“治理国家也有常见的祸患吗？”晏子说：“国君身边的奸佞小人谗谄之辈，他们喜欢中伤贤良之臣，与小人亲附结交，这就是治理国家常见的祸患。”景公说：“谗谄奸佞之徒，品性的确是不怎么好；虽然如此，他们怎么会成为国家常见的祸患呢？”晏子说：“国君把他们当作自己的耳目又喜欢和他们谋划国事，这样国君的视听就会产生谬误了。他们在上扰乱了国君的视听，在下使群臣都无法行使自己的职责，难道还不是实际的祸患吗？”

景公说：“原来是这样啊，寡人会除掉他们。”晏子说：“君上除不掉他们。”景公愤愤然变了脸色：“先生为什么这样小瞧寡人！”晏子说：“下臣怎么敢自大啊！那些能够在国君面前周旋之人，才能都不是一般的。能把大奸大假藏在心里的人，一定在表面上表现出小诚小信，以此来实现他的大奸大假。这些人在朝廷内揣摩国君的嗜好欲望处处顺从他的心意，一旦国君怨恨贤良之臣，他们就列举贤良之臣以往的过失来加重国君的怨恨；在朝廷外就施行淫威来索取财富。这些人哪能与国君如此地亲密，而不获取大的利益，专为与国君王行义的呢？这种人是难以识破且难以理解的。”

景公说：“既然这样，那么先代圣人是怎么处理这些事的呢？”晏子说：“先代圣人治理国家，接待宾客很慎重，处理政事决不拖延，唯恐时间不够用，群臣都能竭尽他们的忠诚，哪里容得下谗谀小人包藏的私心！”景公说：“既然这样，那么先生就协助寡人除掉他们，寡人也不用这些人办事了。”晏子说：“国君身边的谗谄之辈奸佞小人，就如同土地庙里的老鼠一样。谚语有这样的话：‘土地庙中的老鼠无法用烟火熏走，除掉它才能万事大吉国家大治。’谗谀奸佞之徒，隐藏于国君的权威之中以保全自己，他们是很难被除掉的。”

景公问后世孰将践有齐者晏子对以田氏

【原文】

景公与晏子立于曲潢之上，望见齐国，问晏子曰：“后世孰将践有齐国者乎？”晏子对曰：“非贱臣之所敢议也。”公曰：“胡必然也？得者无失，则虞、夏常存矣。”晏子对曰：“臣闻见足以知之者，智也；先言而后当者，惠也。夫智与惠，君子之事，臣奚足以知之乎！虽然，臣请陈其为政。君强臣弱，政之本也；君唱臣和，教之隆也；刑罚在君，民之纪也。今夫田无宇，二世有功于国，而利取分寡，公室兼之，国权专之，君臣易施，而[①]无衰乎！婴闻之，臣富主亡。由是观之，其无宇之后为几[②]，齐国，田氏之国也？婴老不能待公之事，公若即世，政不在公室。”

公曰：“然则奈何？”晏子对曰：“维礼可以已之。其在礼也，家施不及国，民不懈，货不移，工贾不变，士不滥，官不谄，大夫不收公利。”

公曰：“善！今知礼之可以为国也。”对曰：“礼之可以为国也久矣，与天地并立。君令臣忠，父慈子孝，兄爱弟敬，夫和妻柔，姑[③]慈妇听，礼之经[④]也。君令而不违，臣忠而不二，父慈而教，子孝而箴[⑤]，兄爱而友，弟敬而顺，夫和而义，妻柔而贞，姑慈而从，妇听而婉，礼之质也。”公曰：“善哉！寡人乃今知礼之尚也。”晏子曰：“夫礼，先王之所以临天下也，以为其民，是故尚之。”

【注释】

①而（néng）：通“能”。

②几（jī）：差不多。

③姑：婆婆。

④经：规范。

⑤箴（zhēn）：劝告。

【译文】

齐景公与晏子站立在曲池边上，眺望齐国大地，问晏子说：“后世谁将登上王位拥有齐国呢？”晏子回答说：“这不是我这个微贱的臣子敢于议论的事情。”景公说：“先生何必这样呢？如果得到天下就永远不会失去，那虞舜、夏禹之国就永远存在了。”晏子回答说：“下臣听说，如果对事情只见表象就能知其本质，就叫作智；如果事先能预言而后能应验，就叫作慧。智与慧，是君子的事情，我怎么能够知道未来的事呢！话虽如此，还请让下臣陈说细数为政之道。国君强大臣子弱小，这是为政的根本；国君倡导臣子响应，这是教化的兴隆；刑罚的权柄在国君手中，这是百姓的纲纪。如今田无宇家族，有两代人对齐国立下了汗马功劳，聚积财物又不吝啬地分给孤寡贫乏的人，他兼有公室的利益，专擅国家的权柄，国君与臣子的位置颠倒了，君权能不衰弱吗！我听说，臣子富裕国君就会衰亡。由此看来，大概到田无宇的后代就差不对了，齐国，就会成为田氏的国家吧？我老了不能再伺候君上办事了，君上如果一旦去世，政权就不在属公室了。”

景公说：“既然这样，那么该怎么办呢？”晏子回答说：“唯有礼才可以制止这种事情的发生。在礼的制约中，大夫的施舍不能遍及国人，百姓不懈怠，财货不转移，工商不改行，士人不虚浮，官吏不僭越，大夫不侵占公家的利益。”

景公说：“说得好！寡人如今知道礼可以治理国家了。”晏子说：“礼可以治理国家已是很久了，它与天地并立。国君德美臣子尽忠，父亲慈祥儿子孝敬，兄长友爱弟弟恭顺，丈夫和气妻子温柔，婆婆仁慈媳妇顺从，这是礼的规范。国君品德美好而不邪恶，臣子忠诚而不怀二心，父亲慈祥而善于教导，儿子孝顺而敢于劝告，兄长仁爱友善，弟弟恭敬而顺从，丈夫和气而仁义，妻子温柔而贞节，婆婆仁慈而随和，媳妇顺从而温婉，这是礼的实质了。”

景公说：“说得好啊！寡人今天才知道礼的高尚。”晏子说：“礼，是先王所用来统治天下的，用它来教化百姓，所以崇尚它。”

吴王问齐君僈暴吾子何容焉晏子对以岂能以道食人

【原文】

晏子使吴，吴王曰：“寡人得寄僻陋蛮夷之乡，希见教君子之行，请私而无为罪。”晏子蹴然辟位。吴王曰：“吾闻齐君盖贼以僈，野以暴，吾子容焉，何甚也？”

晏子遵循而对曰：“臣闻之，微事不通、粗事不能者，必劳；大事不得、小事不为者，必贫；大者不能致人、小者不能至人之门者，必困。此臣之所以仕也。如臣者，岂能以道食①人者哉！”

晏子出，王笑曰：“嗟呼！今日吾讥晏子，犹倮②而訾③高撅④者也。”

【注释】

①食（sì）：拿东西给人吃。

②倮（luǒ）：同“裸”。

③訾（zī）：诋毁。

④撅（guì）：撩起衣服。

【译文】

晏子出使吴国，吴王说：“寡人居住在偏僻蛮荒之地，很难得到君子优良品行的熏陶，寡人想谈些私人问题先生不要怪罪我。”晏子恭敬地离座站立。吴王说：“寡人听说齐国国君不仅暴虐而且傲慢，不仅粗野而且凶暴，先生却能在他那里容身，这太过分了吧？”

晏子谦恭小心地回答说：“下臣听说，细微之事不能精通、粗笨之事又不会做的人，一定遭受劳苦；大事做不成，小事又不想做的人，一定遭受贫穷；既不能做大称雄招致别人前来归附、又不能甘为小辈归附到别人门下的人，一定遭受困窘。这就是下臣出仕为官的缘故。像下臣这样的人，哪里能用大道理来给人当饭吃啊！”

晏子出去后，吴王笑着说：“哎呀！今日寡人讥讽晏子，就好比裸体之人还责备高高撩起衣服之人。”

司马子期问有不干君不恤民取名者乎晏子对以不仁也

【原文】

司马子期问晏子曰："士亦有不干君、不恤民、徒居无为而取名者乎？"

晏子对曰："婴闻之，能足以赡[1]上益民而不为者，谓之不仁。不仁而取名者，婴未得闻之也。"

【注释】

①赡（dàn）：安定。

【译文】

司马子期问晏子说："士人中也有不向国君进言求仕、不体恤百姓、闲居闲处无所作为而赢得名声的吗？"

晏子回答说："我听说，才能足以安定朝政造福百姓却不肯作为的人，叫作不仁。不仁却能赢得名声的人，我从没听说过。"

高子问子事灵公庄公景公皆敬子晏子对以一心

【原文】

高子问晏子曰："子事灵公、庄公、景公，皆敬子。三君之心一耶？夫子之心三也？"

晏子对曰："善哉问！事君，婴闻一心可以事百君，三心不可以事一君。故三君之心非一也，而婴之心非三心也。且婴之于灵公也，尽复[1]而不能立之政，所谓仅全其四支[2]以从其君者也。及庄公，陈武夫、尚勇力，欲辟胜于邪，而婴不能禁，故退而野处。婴闻之，言不用者，不受其禄，不治其事者，不与其难，吾于庄公行之矣。今之君，轻国而重乐，薄于民而厚于养，藉敛过量，使令过任，而婴不能禁，婴庸知其能全身以事君乎！”

【注释】

①复：禀告。

②全其四支：这里指保全自身性命。

【译文】

高子问晏子说：“先生侍奉灵公、庄公、景公三代国君，他们都敬重先生，是三位国君的心一个样呢？还是先生的心三个样呢？”

晏子回答说：“问得好啊！关于侍奉国君，我听说一心一意能够侍奉好一百个国君，三心二意不能够侍奉好一个国君。因此三位国君的心并非一个样，而我也没有三个心。我辅佐灵公的时候，尽力禀告也不能采用于政令，因此只能是所谓保全自身性命随从国君的使唤罢了。到了庄公的时候，他宣扬武夫、崇尚勇力，嗜好欲望的偏执超过了一般的邪僻，而我却不能禁止，因此引退到乡野之地居住。我听说，建言不被国君采纳，就不能接受国君的俸禄，不能为国君处理国事的，就不和他一起受难，我在庄公的时候，就是这样做的。如今的国君，轻视治国而重视享乐，对百姓刻薄而厚待自己，横征暴敛，役使百姓超过他们所能承受，而我不能禁止，我怎能知道是否能保全自身来侍奉国君呢！”

晏子再治东阿上计景公迎贺晏子辞

【原文】

晏子治东阿，三年，景公召而数之曰：“吾以子为可，而使子治东阿，今子治而乱，子退而自察也，寡人将加大诛于子。”晏子对曰：“臣请改道易行而治东阿，三年不治，臣请死之。”景公许之。

于是明年上计，景公迎而贺之曰：“甚善矣！子之治东阿也。”晏子对曰：“前臣之治东阿也，属①托不行，货赂不至，陂池②之鱼，以利贫民。当此之时，民无饥者，君反以罪臣。今臣后之治东阿也，属托行，货赂至，并重赋敛，仓库少内③，便事左右，陂池之鱼，入于权家。当此之时，饥者过半矣，君乃反迎而贺臣。臣愚，不能复治东阿，愿乞骸骨，避贤者之路。”再拜，便辟④。

景公乃下席而谢之曰：“子强复治东阿，东阿者，子之东阿也，寡人无复与焉。”

【注释】

①属（zhǔ）：嘱托。

②陂（bēi）池：池沼。

③内（nà）：同“纳”。

④辟（bì）：退出。

【译文】

晏子治理东阿，过了三年，景公将晏子召回并数落他说：“寡人觉得先生很有才干，因此派先生前去治理东阿，如今先生将那里治理得一片混乱，先生还是引退好好反省吧，寡人要加倍惩处先生。”晏子回答说：“请让下臣改变方法治理东阿，如果三年治理不好，将下臣处死也可以。”景公同意了。

于是第二年报送赋税账簿时，景公亲自迎接晏子并祝贺说：“太好了！先生把东阿治理得很好啊。”晏子回答说：“前次下臣治理东阿，杜绝私人嘱托之风，不许收受钱财礼物，池沼中的鱼，用来给贫民谋利。在这段时间，百姓没有挨饿的，而君上却降罪于下臣。这次下臣治理东阿，私人嘱托之风盛行，允许收受钱财礼物，并加重赋税，却很少纳入官府仓库，都用来优待左右随从了，池沼中的鱼，都到了权贵之家。在这段时间，挨饿的人已经超过了一半，君上反倒迎接并祝贺下臣。下臣愚笨无能，不能再治理东阿了，希望能讨回告老还乡，给贤能的人让路。”说完拜了两拜，就要退出。

景公于是离开座位谢罪说：“请先生不辞辛劳再去治理东阿，东阿，是先生的东阿，寡人再也不干预了。”

太卜绐景公能动地晏子知其妄使卜自晓公

【原文】

景公问太卜曰：“汝之道何能？”对曰：“臣能动地。”公召晏子而告之，曰：“寡人问太卜曰：‘汝之道何能？’对曰：‘能动地。’地可动乎？”晏子默然不对，出，见太卜曰：“昔吾见钩星在四、心之间，地其动乎？”太卜曰：“然。”晏子曰：“吾言之，恐子之死也；默然不对，恐君之惶也。子言，君臣俱得焉。忠于君者，岂必伤人哉！”晏子出，太史走入见公，曰：“臣非能动地，地固将动也。”

陈子阳[①]闻之，曰：“晏子默而不对者，不欲太卜之死也；往见太卜者，恐君之惶也。晏子，仁人也，可谓忠上而惠下也。”

【注释】

①陈子阳：景公臣子。

【译文】

齐景公问太卜说：“你的道术有什么能耐？”太卜说：“下臣能使大地震动。”景公召见晏子并把这事告诉了他，说：“寡人问太卜说：‘你的道术有什么能耐？他回答说：‘能使大地震动。’人真的可以使大地震动吗？”晏子默不作声，走出来，去见太卜说：“夜里我看见钩星出现在房星和心宿的中间，大地恐怕要震动吧？”太卜说：“是的。”晏子说：“我一旦把这事说出去，恐怕你就必死无疑了吧；我要是沉默不回答，又怕君上惶恐不安。你去说明白这件事，对君臣都有好处。忠于国君的人，难道一定要伤害他人吗！”晏子出来之后，太卜跑进宫中拜见景公，说：“下臣不能使大地震动，大地本来就要发生震动了。”

陈子阳听说这事后，说：“晏子沉默不语，是不想给太卜引来杀身之祸；去见太卜，是怕国君惶恐不安。晏子，是个仁人啊，可以说他是个忠于国君而又施惠下属的人。”

有献书谮晏子退耕而国不治复召晏子

【原文】

晏子相景公，其论人也，见贤而进之，不同君所欲；见不善则废之，不辟君所爱；行己而无私，直言而无讳。有纳[1]书者曰：“废置不周[2]于君前谓之专，出言不讳于君前谓之易。专易之行存，则君臣之道废矣，吾不知晏子之为忠臣也。”公以为然。

晏子入朝，公色不说，故晏子归，备载，使人辞曰：“婴故老悖无能，毋敢服壮者事。”辞而不为臣，退而穷处[3]，东耕海滨，堂下生藜藿，门外生荆棘。七年，燕、鲁分争，百姓惛[4]乱，而家无积。公自治国，权轻诸侯，身弱高、国。公恐，复召晏子。

晏子至，公一归七年之禄，而家无藏。晏子立，诸侯忌其威，高、国服其政，燕、鲁贡职，小国时朝。晏子没[5]而后衰。

【注释】

①纳：进呈。

②周：合。

③穷处：这里指隐居。

④惛（hūn）：昏庸。

⑤没：死亡。

【译文】

晏子做了景公的相国，他用人的准则，只要看到贤才就提拔进用，即使国君另有想法也不苟同；看到不好的官吏就废黜不用，即使国君有所偏爱也不避忌；身体力行而无私心，有话直说也不隐讳。有人向景公进呈书面意见说：“废黜或使用人才不合君意就叫作专权，对国君直言不讳就叫作轻视。专权轻视的行为存在，那么君臣之间的伦理就废弃了，我真不知道晏子怎么能成为忠臣。”景公觉得他言之有理。

晏子上朝时，景公的脸色带着不满，因此晏子回到家，装载好马车，派人向景公告辞说：“我老迈糊涂还无能，不敢担当年轻人做的事。”于是晏子告辞不再做景公的臣子，隐居到偏僻之地，在东边的海滨耕地，房子的堂下长满了野草，门外生满了荆棘。七年后，燕国与鲁国都来争夺齐国土地，国内百姓困惑混乱，家中一贫如洗。景公亲自治理国家，不再受到诸侯的尊重，公室的势力甚至弱于高氏、国氏。景公很恐慌，于是又召回晏子。

晏子回来后，景公全数归还七年的俸禄给晏子，可是他家没有私藏的钱财。晏子复位，各国诸侯顾忌他的威望，高氏、国氏服从他的政令，燕国、鲁国来朝贡，其他小国也按时来朝见。晏子死后齐国就衰落了。

晏子使高纠治家三年而未尝弼过逐之

【原文】

晏子使高纠①治家，三年而辞焉。傧者②谏曰："高纠之事夫子三年，曾无以爵禄而逐之，敢请其罪。"

晏子曰："若夫方立之人，维圣人而已；如婴者，仄陋之人也。若夫左婴右婴之人，不举四维③，四维将不正。今此子事吾三年，未尝弼吾过也，吾是以辞之。"

【注释】

①高纠：晏子家臣。

②傧（bìn）者：这里泛指仆人。

③四维：这里指礼、义、廉、耻。

【译文】

晏子让高纠管理自己的家事，但是干了三年就辞退了他。仆人劝说道："高纠侍奉先生三年，连爵禄都没有给他反而辞退了他，请问他犯了什么过错吗？"

晏子说："以道义立身而毫不动摇的人，只有圣人而已；像我这样的人，不过是偏离道义的浅薄鄙陋之人。如果我身边辅佐我的人不能指出我的过失，礼、义、廉、耻的原则将得不到端正。如今高纠这个人侍奉了我三年，却从未匡正我的过失，我因此辞退了他。”

景公称桓公之封管仲益晏子邑辞不受

【原文】

景公谓晏子曰：“昔吾先君桓公，予管仲狐与穀①，其县十七，著之于帛，申之以策，通之诸侯，以为其子孙赏邑。寡人不足以辱而先君，今为夫子赏邑，通之子孙。”

晏子辞曰：“昔圣王论功而赏贤，贤者得之，不肖者失之，御德修礼，无有荒怠。今事君而免于罪者，其子孙奚宜与②焉？若为齐国大夫者必有赏邑，则齐君何以共其社稷与诸侯币帛？婴请辞。”遂不受。

【注释】

①狐、穀：地名。

②与（yù）：参与。

【译文】

景公对晏子说：“过去我的先君桓公，赏赐给管仲狐地和穀地，该地有十七个县，他将旨意写在帛上，在简策上郑重申明，又通报给各国诸侯，并把这些地方作为他的子孙的赏邑。寡人没有资格辱没先生的先人，如今赏给您邑地，以便传给子孙后代。”

晏子辞谢说：“过去圣明的国君通过评判功劳来赏赐贤德之人，贤德的人得到赏赐，不贤德的人就没有赏赐，所以人人都崇尚道德修养礼仪，没有荒废懈怠之处。如今我侍奉君上仅仅做到没有过错，子孙有什么理由参与赏赐呢？如果说做了齐国大夫一定要给予赏邑，那么齐国国君拿什么来供给国家祭祀所需以及交往诸侯所需要的钱财和布帛呢？我请求辞谢封赏。”最终还是没有接受封赏。

景公使梁丘据致千金之裘晏子固辞不受

【原文】

景公赐晏子狐之白裘①，玄豹之茈，其赀②千金，使梁丘据致之。晏子辞而不受，三反。公曰：“寡人有此二，将欲服之，今夫子不受，寡人不敢服。与其闭藏之，岂如弊之身乎？”晏子曰：“君就赐，使婴修百官之政。君服之上，而使婴服之于下，不可以为教。”固辞而不受。

【注释】

①狐之白裘：用狐狸腋下的白色毛皮制成的皮袍。

②赀（zī）：价值。

【译文】

齐景公赏赐给晏子一件用狐狸腋下的白毛皮制成的皮袍，衣襟是用黑色豹子皮镶制的，价值千金，景公派遣梁丘据前去送给晏子。晏子推辞不接受，梁丘据送去三次都被退了回来。景公说：“寡人这样的皮袍有两件，打算穿它。如今先生您拒绝接受，寡人也不敢穿了。与其把它收起来不穿，难道不如在身上把它穿坏吗？”晏子说：“君上已经赏赐我了，让我统管百官的政事。君上身居尊位穿着这个皮袍，而我地位卑贱也穿着一样的皮袍，这样做就不能教化官吏和百姓了。”晏子坚决不接受。

晏子衣鹿裘以朝景公嗟其贫晏子称有饰

【原文】

晏子相景公，布衣鹿裘以朝。公曰："夫子之家，若此其贫也，是奚衣之恶也！寡人不知，是寡人之罪也。"

晏子对曰："婴闻之，盖顾人而后衣食者，不以贪昧为非；盖顾人而后行者，不以邪僻为累[①]。婴不肖，婴之族又不如婴也，待婴以祀其先人者五百家，婴又得布衣鹿裘而朝，于婴不有饰[②]乎！"再拜而辞。

【注释】

①累：有害。

②有饰：这里指已经很奢华了。

【译文】

晏子给齐景公当相国，穿着布衣服和粗皮衣去上朝。景公说："先生的家，已经穷到如此地步了吗！为什么穿着这么简朴呢？寡人不了解先生家的情况，这是寡人的罪过啊。"

晏子回答说："我听说过，先看看别人是如何做的然后再穿衣饮食的人，就会觉得贪图美味是错误的；先看看别人是如何做的然后再行动的人，就会觉得行为邪僻是有害的。我不贤德，我的家族的人更比不上我，他们靠我的俸禄来祭祀祖先的有五百家，我还能穿着布衣服粗皮衣来上朝，这对我来说不是已经很奢华了吗？"说完拜了两拜就告辞了。

外篇不合经术者第八

仲尼见景公景公欲封之晏子以为不可

【原文】

仲尼之齐，见景公。景公说之，欲封之以尔稽①，以告晏子。晏子对曰："不可。彼浩裾自顺②，不可以教下；好乐缓于民，不可使亲治；立命而怠事，不可使守职；厚葬破民贫国，久丧循哀费日，不可使子民；行之难者在内，而儒者无其外，故异于服、勉于容，不可以道③众而驯百姓。自大贤之灭，周室之卑也，威仪加多，而民行滋薄；声乐繁充，而世德滋衰。今孔丘盛声乐以侈世，饰弦歌鼓舞以聚徒，繁登降之礼以示仪，务趋翔之节④以观众；博学不可以仪世，劳思不可以补民；兼寿不能殚其教，当年不能究其礼，积财不能赡其乐；繁饰邪术以营世君，盛为声乐以淫愚民。其道也，不可以示世；其教也，不可以导民。今欲封之，以移齐国之俗，非所以导众存民也。"

公曰："善。"于是厚其礼而留其封，敬见不问其道，仲尼乃行。

【注释】

①尔稽：齐国地名。

②自顺：自大任性。

③道（dǎo）：引导。

④趋翔之节：行走的步法节奏。

【译文】

孔子到齐国去，见到了景公。景公对他很赏识，打算把尔稽封给他，于是就把这想法告诉了晏子。晏子回答说："不可以这么做。此人倨傲自大任性，不能教导下面的人；爱好音乐放纵百姓，不能让他亲自管理百姓；安于天命倦怠人事，不能让他出任职务；主张厚葬浪费民财让国家贫困，主张长期守丧而让人哀伤不止旷日费时，不能让他为民父母；实行道义难在人的内心，而儒家只注重外在之美，因此改变衣服样式，尽力修饰仪容，不能引导众人教导百姓。自从圣贤去世，周王室就衰微了，威严的礼仪日趋烦琐，而百姓的品行却越发轻薄了；声歌音乐繁多普及了，而社会道德却越发衰败了。如今孔丘鼓吹音乐使世风奢侈，修整管弦歌舞以聚集门徒，使上下、尊卑、进退的礼仪越发烦琐以显示威仪，致力于行走的步法节奏来向众人示范；孔丘虽学问渊博但不可以做世人的表率，劳心费神却无益于百姓；即使人们把寿命延长一倍也不能把他的学说全部学会，即使到了壮年也不能完全理解他们的礼数，即使聚积很多钱财也供不起他那些音乐；他只会繁缛地粉饰邪门歪道来迷惑当代国君，大肆制乐作歌来浸淫蛊惑百姓。他的主张，不可以向世人显示；他的学说，不可以引导百姓。如今君上想封给他土地，用他的那一套道义来改变齐国的风俗，这不是用来引导众人保护百姓的做法。"

景公说："您说得对啊。"于是对孔子以厚礼相待，并没有赏给他封地，恭敬地接见但并没有向他询问治国之道，孔子于是离开了。

景公上路寝闻哭声问梁丘据晏子对

【原文】

景公上路寝，闻哭声，曰："吾若闻哭声，何为者也？"梁丘据对曰："鲁孔丘之徒鞠语①者也。明于礼乐，审于服丧，其母死，葬埋甚厚，服丧三年，哭泣甚疾。"公曰："岂不可哉！"而色说之。

晏子曰："古者圣人，非不知能繁登降之礼、制规矩之节、行表缀②之数以教民，以为烦人留日，故制礼不羡于便事；非不知能扬干戚钟鼓竽瑟以劝众也，以为费财留工，故制乐不羡于和民；非不知能累世③殚国以奉死哭泣处哀以持久也，而不为者，知其无补死者而深害生者，故不以导民。今品人饰礼烦事，羡乐淫民，崇死以害生，三者，圣王之所禁也。贤人不用，德毁俗流，故三邪得行于世。是非贤不肖杂，上妄说邪，故好恶不足以导众。此三者，路④世之政，单事之教也。公曷为不察，声受而色说之？"

【注释】

①鞠（jū）语：孔子弟子。

②表缀：表率。

③累（lěi）世：历代。

④路：衰败。

【译文】

齐景公登上路寝台，听到哭声，于是说："寡人好像听到了哭声，是什么人在哭呢？"梁丘据回答说："这是鲁国孔丘的门徒鞠语在哭泣。他精通礼仪和音乐，熟悉服丧制度，他的母亲去世了，他把葬礼办得很隆重，花费了很多钱财，还为他的母亲服丧三年，哭得很悲伤。”景公说：“这难道不好吗？”脸上流露出高兴的表情。

晏子说：“古代的圣人，并不是不懂得把尊卑上下进退的礼节搞得烦琐、制定烦琐的规矩约束百姓的行为、推行楷模表率之理来教导百姓，不过觉得这样做既烦扰百姓又浪费时间，因此制定礼仪以方便做事为原则；他们并不是不懂得大张乐舞来激励百姓的情绪，不过觉得这样做既耗费钱财又耽误工作，因此制定乐舞以调和民心为原则；他们并不是不懂得竭尽历代家财国力安葬死者并且旷日持久地哭泣哀伤，然而却不这样去做。因为他们懂得这样做对死者没有益处对生者却造成很大的伤害，所以不引导人们这样做。如今众人修饰礼仪事务烦琐，滥制音乐浸淫民心，推崇死者损害生者，这三件事情，都是古代圣王所禁止的。现如今，贤德之人不被任用，美德被抛弃陋习来流行，所以上述三种邪僻的事情才得以流行于世。正确与错误、贤德与不贤德的界限混乱不清，使得在上的人愚妄昏昧喜欢邪僻之事，所以他们的喜好与厌恶不能够对百姓起到正确的引导作用。这三样事情，乃是衰世之政，害事之说。君上何不详加审察，仅仅听到哭声就面带喜色呢？”

仲尼见景公景公曰先生奚不见寡人宰乎

【原文】

仲尼游齐，见景公。景公曰：“先生奚不见寡人宰乎？”仲尼对曰：“臣闻晏子事三君[1]而得顺焉，是有三心，所以不见也。”

仲尼出，景公以其言告晏子，晏子对曰：“不然。非婴为三心，三君为一心故。三君皆欲其国之安，是以婴得顺也。婴闻之，是而非之，非而是之，犹非也。孔丘必据处此一心矣。”

【注释】

①事三君：晏子先后辅佐齐灵公、齐庄公、齐景公。

【译文】

孔子来到齐国，拜见景公。景公说：“先生怎么不去见一见寡人的相国呢？”孔子回答说：“我听说晏子侍奉三位国君而都很顺服他们，这说明他有三个心，所以我不想见他。”

孔子出去之后，景公将他的话告诉晏子，晏子说：“不是这样的。不是我有三个心，而是三位国君同为一心的缘故。三位国君都希望国家安定，所以我都能顺服。我听说，正确而被说成错误，错误而被说成正确，都是错误的。这二者孔子必居其一。”

景公出田顾问晏子若人之众有孔子乎

【原文】

景公出田，寒，故以为浑①，犹顾而问晏子曰：“若人之众，则有孔子焉乎？”

晏子对曰：“有孔子焉则无有，若舜焉则婴不识。”

公曰：“孔子之不逮舜为间②矣，曷为‘有孔子焉则无有，若舜焉则婴不识’？”

晏子对曰：“是乃孔子之所以不逮③舜。孔子行一节者也，处民之中，其过之识，况乎处君子之中乎？舜者处民之中，则自齐乎士；处君子之中，则齐乎君子；上与圣人，则固圣人之林也。此乃孔子之所以不逮舜也。”

【注释】

①浑：通“温”，暖和。

②间（jiàn）：差距。

③逮：及。

【译文】

齐景公出去打猎，天气寒冷，却故作暖和的样子，还回头问晏子说：“如果有很多人，那么其中会有孔子那样人吗？”

晏子回答说：“孔子这样的人是没有的，如果问有没有舜这样的人，我就不知道了。”

景公说：“孔子不及舜，差距太大了，什么叫‘孔子这样的人是没有的，如果问有没有舜这样的人，我就不知道了’？”

晏子回答说：“这就是为什么孔子不及舜了。孔子只能做到一部分的美，身处常人之中，他的过人之处就能被看到，何况处在君子之中呢？而舜身处常人之中，就与普通士人一样；身处君子之中，就与君子一样；往上同圣人站在一起，本来就列于圣人群中。这就是孔子不及舜的原因了。”

仲尼相鲁景公患之晏子对以勿忧

【原文】

仲尼相鲁，景公患之，谓晏子曰：“邻国有圣人，敌国之忧也。今孔子相鲁，若何？”

晏子对曰：“君其勿忧。彼鲁君，弱主也；孔子，圣相也。君不如阴[①]重孔子，设以相齐。孔子强谏而不听，必骄鲁而有齐，君勿纳也。夫绝于鲁，无主于齐，孔子困矣。”

居期年，孔子去鲁之齐，景公不纳，故困于陈、蔡之间。

【注释】

①阴：私下。

【译文】

孔子任鲁国相国，齐景公为此担忧，对晏子说："邻国有圣人，这是敌对国家的忧患。如今孔子当了鲁国相国，怎么办？"

晏子回答说："君上不用忧虑。那鲁国的国君，是个昏庸软弱之君；孔子，是圣明的相国。君上不如私下表示对孔子的尊崇，暗自许诺他作齐国的相国，孔子强行劝谏而鲁君不听从，一定会瞧不起鲁君而心向齐国，而君上不要接纳他。自绝于鲁国，又不能被齐国任用，孔子就陷入困境了。"

过了一年，孔子离开鲁国来到齐国，景公不接纳，所以孔子就困厄在陈国、蔡国之间。

景公游牛山少乐请晏子一愿

【原文】

景公游于牛山，少乐，公曰："请晏子一愿。"晏子对曰"不[①]，婴何愿？"公曰："晏子一愿。"对曰："臣愿有君而见畏[②]，有妻而见归[③]，有子而可遗。"

公曰："善乎，晏子之愿也，载一愿。"晏子对曰："臣愿有君而明，有妻而材，家不贫，有良邻。有君而明，日顺婴之行；有妻而材，则使婴不忘；家不贫，则不愠[④]朋友所识；有良邻，则日见君子。婴之愿也。"

公曰："善乎，晏子之愿也，载一愿。"晏子对曰："臣愿有君而可辅，有妻而可去，有子而可怒。"公曰："善乎！晏子之愿也。"

【注释】

①不（fǒu）：同“否”。

②见畏：畏惧我。

③见归：嫁给我。

④愠（yùn）：怨恨。

【译文】

齐景公到牛山去游玩，缺少娱乐之事，于是景公说：“请晏子说个自己的愿望。”晏子回答说：“没有，我能有什么愿望？”景公说：“晏子说个自己的愿望吧。”晏子回答说：“下臣希望有个国君畏惧我，有个女子能嫁给我，有个儿子能继承我。”

景公说：“晏子的愿望真好啊！再说个愿望。”晏子回答说：“下臣希望有个圣明的国君，有个能干的妻子，家里不贫困，有品行良好的邻居。国君圣明，这样每天都能使我顺服；妻子能干，那么就能让我不忘记她；家里不贫困，那么就不会被朋友和所结交的人怨恨；有品行良好的邻居，那么我每天都能看到君子。这就是我的希望。”

景公说：“晏子的愿望真好啊！再说个愿望吧。”晏子回答说：“下臣希望有个国君可以辅佐，有个妻子可以离弃，有个儿子可以责备。”景公说：“晏子的愿望真好啊！”

景公为大钟晏子与仲尼柏常骞知将毁

【原文】

景公为大钟，将县[①]之。晏子、仲尼、柏常骞三人朝，俱曰：“钟将毁。”冲[②]之，果毁。

公召三子者而问之，晏子对曰：“钟大，不祀先君而以燕，非礼，是以曰钟将毁。”

仲尼曰：“钟大而县下，冲之，其气下回而上薄[3]，是以曰钟将毁。”

柏常骞曰：“今庚申，雷日也，音莫胜于雷，是以曰钟将毁也。”

【注释】

①县（xuán）：悬挂。

②冲：撞击。

③薄：压迫。

【译文】

齐景公铸造了一口大钟，想把它挂起来。晏子、孔子、柏常骞三人上朝，都说：“大钟将会毁坏。”于是撞击它，果然坏了。

景公召来这三个人问他们其中的原因，晏子回答说：“钟那么大，不先拿来祭祀先君，而先用于宴饮，不符合礼法，因此我说钟将会毁坏。”

孔子说：“钟那么大而悬挂在低处，撞击时，气流在下方回旋然后向上压迫，因此我说钟将会毁坏。”

柏常骞说：“今天是庚申日，是雷击的日子，凡声音不能超过雷声，因此我说钟将会毁坏。”

田无宇非晏子有老妻晏子对以去老谓之乱

【原文】

田无宇见晏子独立于闺[1]内，有妇人出于室者，发班白[2]，衣缁[3]布之衣而无里裘。

田无宇讥之曰：“出于室何为者也？”

晏子曰：“婴之家也。”

无宇曰：“位为中卿，食田七十万，何以老妻为？”

对曰：“婴闻之，去老者，谓之乱；纳少者，谓之淫。且夫见色而忘义，处富贵而失伦，谓之逆道。婴可以有淫乱之行，不顾于伦，逆古之道乎？”

【注释】

①闺：这里指屋门。

②班白：同“斑白”，花白。

③缁：黑色。

【译文】

田无宇瞧见晏子独自站在屋门内，有个妇人从里面出来，只见她头发斑白，身穿黑布衣服而里边没有穿皮衣。

田无宇讥讽晏子说：“刚才从屋里出来的是什么人呀？”

晏子说：“她是我的内子。”

田无宇说：“先生的官爵是中卿，拥有七十万钟的食禄，为何还要这么年老的妻子？”

晏子回答说：“我听说，离弃年老的妻子，叫作惑乱；纳娶年轻的妻子，叫作淫荡。而且贪恋女色而忘掉道义，地位尊贵而丧失伦理，这叫作违背道德。我可以做淫乱之事，不顾伦理，违背传统道德吗？”

工女欲入身于晏子晏子辞不受

【原文】

有工女托于晏子之家者，曰：“婢妾，东廓之野人[1]也，愿得入身，比数于下陈焉。”

晏子曰："乃今而后自知吾不肖也！古之为政者，士、农、工、商异居，男女有别而不通，故士无邪行，女无淫事。今仆[2]托国主民，而女欲奔仆，仆必色见[3]而行无廉也。"遂不见。

【注释】

①野人：平民。

②仆：晏子自谦。

③色见：好色的表现。

【译文】

有个从事手工的女子打算托身于晏子的家，说："奴婢是东城外的平民，希望能投身到先生的家里，与先生家的众内室同列。"

晏子说："时至今日我才知道自己不贤德啊！自古治国从政之人，让士人、农夫、工匠、商人各居一处，男女之间有分别而互不交往，因此士人没有邪恶之行，女子没有淫秽之事。如今我身负治国重任为民做主，竟有女子打算私奔于我，我一定有好色的表现而在行为上有不廉正之处了。"于是从此没有见这个女子。

景公欲诛羽人晏子以为法不宜杀

【原文】

景公盖姣[1]，有羽人视景公僭[2]者。公谓左右曰："问之，何视寡人之僭也？"羽人对曰："言亦死，而不言亦死，窃姣公也。"公曰："合色寡人也？杀之！"

晏子不时[3]而入见曰："盖闻君有所怒羽人。"公曰："然，色寡人，故将杀之。"晏子对曰："婴闻拒欲不道，恶爱不祥，虽使色君，于法不宜杀也。”公曰：“恶！然乎？若使沐浴，寡人将使抱背。”

【注释】

①姣：俊美。

②僭（jiàn）：这里指不敬。

③不时：不按正常时间。

【译文】

齐景公长相俊美，有个羽人很不敬地盯着景公看。景公对身边的人说：“你们问问他，为什么如此不敬地盯着我看呢？”羽人回答说：“我说出来也是死，不说也是死。我是私下里爱慕君上的美貌呢。”景公气愤地说：“你为什么要以色心对待寡人呢？杀了他！”

晏子不等到正常的上朝时间就进宫拜见景公说：“我听说君上很生羽人的气。”景公说：“是的。他以色心对待寡人，因此我打算杀了他。”晏子回答说：“我听说拒绝别人的欲望是不合道义的，憎恶别人对自己的喜爱是不吉祥的，虽然他以色心对待君上，按照法律规定也不该被处死啊。”景公说：“啊！是这样吗？那如果让他来伺候寡人沐浴洗，寡人就只能让他扶后背。”

景公谓晏子东海之中有水而赤晏子详对

【原文】

景公谓晏子曰：“东海之中，有水而赤，其中有枣，华而不实，何也？”

晏子对曰：“昔者秦缪公[①]乘龙舟而理天下，以黄布裹烝[②]枣，至东海而捐其布。彼黄布，故水赤；烝枣，故华而不实。”

公曰："吾详问子，何为对？"

晏子对曰："婴闻之，详问者，亦详对之也。"

【注释】

①秦缪公：即秦国国君秦穆公。

②烝：通"蒸"。

【译文】

齐景公对晏子说："东海之中，有水是红颜色的，其中有棵枣树，只开花不结果，这是为什么呢？"

晏子回答说："过去秦穆公乘坐龙舟勘察天下疆域，用黄布包裹蒸熟的枣子，到了东海就将布包扔下了。因为那是黄布，所以水变成红色的了；因为枣子是蒸熟的，所以枣树只开花不结果。"

景公说："寡人是用虚假的事情来问先生，先生为什么也回答呢？"

晏子回答说："我听说，用假事来问，也用假事来回答。"

景公问天下有极大极细晏子对

【原文】

景公问晏子曰："天下有极大物乎？"

晏子对曰："有。北溟[①]有鹏，足游浮云，背凌苍天，尾偃天间，跃啄北海，颈尾咳[②]于天地，然而漻漻[③]乎不知六翮[④]之所在。"

公曰："天下有极细者乎？"

晏子对曰："有。东海有虫，巢于蚊睫，再乳[⑤]再飞，而蚊不为惊。臣婴不知其名，而东海渔者命曰焦冥。"

【注释】

①溟（míng）：海。

②咳：阻隔。

③漻漻：旷远的样子。

④六翮（hé）：翅膀。

⑤乳：生育。

【译文】

齐景公问晏子说："天下有极大的东西吗？"

晏子回答说："有。北海上有大鹏鸟，它的脚在浮云中游走，它的背顶着苍天，尾巴垂在天际，跳起来在北海啄食，脖颈与尾巴将天地阻隔，只见廖阔旷远却不知道翅膀伸展在哪里。"

景公说："天下有极小的东西吗？"

晏子回答说："有。东海有一种小虫，在蚊子的睫毛上筑巢，两次生育两次飞走，而蚊子不为惊动。下臣不知道它的名字，东海的渔人给它起名叫焦冥。"

庄公图莒国人扰给以晏子在乃止

【原文】

庄公阖[①]门而图莒，国人以为有乱也，皆操长兵而立于衢[②]闾[③]。公召睢休相[④]而问曰："寡人阖门而图莒，国人以为有乱，皆操长兵而立于衢闾，奈何？"休相对曰："诚无乱而国人以为有，则仁人不存。请令于国，言晏子之在也。"公曰："诺。"以令于国："孰谓国有乱者，晏子在焉。"然后皆散兵而归。

君子曰："夫行不可不务也。晏子存而民心安，此非一日之所为也，有所以见于前信于后者。是以晏子立人臣之位，而安万民之心。”

【注释】

①阖（hé）：关闭。

②衢（qú）：四通八达的道路。

③闾（lǘ）：街巷的大门。

④睢（suī）休相：齐国大臣。

【译文】

齐庄公关闭了都城的城门谋划攻取莒国之事，都城的人误认为国家发生了动乱，都拿着长兵器站在当街的闾门外。庄公召见睢休相问道：“寡人封闭城门谋划攻取莒国之事，都城的人误以为国家发生了动乱，都拿着长兵器站在当街的闾门外，这该怎么办呢？”睢休相回答说：“事实上并没有发生动乱而都城的人却误认为发生了动乱，那是因为仁德的人不在这里。请向全城下令，就说晏子在这里。”庄公说：“好。”于是就向全城下令：“谁说国家发生了动乱，晏子就在这里。”于是人们都撤下兵器回家去了。

君子说：“人的品行是不能不认真追求的。只要晏子在民心就安定，这不是一日之功就能做到的，而是人们先看到他的所作所为然后才相信他的。因此晏子居大臣之位，就能安万民之心。”

晏子死景公驰往哭哀毕而去

【原文】

景公游于菑[①]，闻晏子死，公乘侈舆服繁驵[②]驱之。自以为迟，下车而趋；知不若车之遫[3]，则又乘。比至于国者，四下而趋。行哭而往，伏尸而号曰："子大夫日夜责寡人，不遗尺寸，寡人犹且淫佚而不收，怨罪重积于百姓。今天降祸于齐，不加于寡人，而加于夫子，齐国之社稷危矣，百姓将谁告夫！"

【注释】

①菑（zī）：齐国地名。

②繁驵：良驹名。

③遫：同"速"。

【译文】

齐景公到菑地游玩，听到晏子去世的消息，立即催促备车马驾良驹往都城赶。景公觉得车马跑得太慢，于是下车快步地走；发现不如车马跑得快，于是又坐上车子。等他赶到都城时，已先后四次下车快步地行走了。景公边走边哭来到晏子家，伏在晏子的尸体上放声大哭说："先生时时刻刻批评寡人，哪怕再细小的过失也不放过，寡人还放纵不知收敛，在百姓中积下了深重的怨恨。如今上天降祸于齐国，不落到寡人身上，却落到先生身上，齐国的江山社稷岌岌可危了，百姓将向谁求告呢！"

晏子死景公哭之称莫复陈告吾过

【原文】

晏子死，景公操玉加于晏子尸上而哭之，涕沾襟。章子[1]谏曰："非礼也。"公曰："安用礼乎？昔者吾与夫子游于公阜之上，一日而三不听寡人，今其孰能然乎！吾失夫子则亡，何礼之有？"免[2]而哭，哀尽而去。

【注释】

①章子：弦章，景公的臣子。

②免：免冠，脱下帽子。

【译文】

晏子死了，景公手拿玉器放在晏子的尸体上并为之痛哭不止，泪水都沾湿了衣襟。弦章劝谏说：“这不符合礼仪。”景公说：“这个时候，哪还用得着礼仪啊？过去寡人与夫子在公阜游览，先生一天之内批评寡人三次，如今谁还能这样做呢！寡人失去了晏子的辅佐，国家就完了，还有什么礼仪可言呢？”景公脱帽大哭，极尽哀痛之情后才离去。